D0717843

afgeschreven

Hella S. Haasse werd op 2 februari 1918 geboren in Batavia (het tegenwoordige Jakarta). Haar Indische geboortegrond heeft haar werk blijvend beïnvloed. De novelle *Oeroeg* was haar grote doorbraak. Haasse won hiermee de novelle-prijsvraag die de CPNB in 1948 uitschreef. Vele literaire prijzen zouden volgen, zoals de Constantijn Huygensprijs in 1981 en de P.C. Hooftprijs in 1984. Het zijn vooral haar historische romans als *De scharlaken stad* en *Heren van de thee* geweest die Haasse bekendheid hebben gegeven. In 2004 ontving ze de Prijs der Nederlandse Letteren voor haar gehele oeuvre.

Hella S. Haasse

De meermin

Rainbow Pockets

Rainbow Pockets® worden uitgegeven door Muntinga Pockets,
onderdeel van Uitgeverij Maarten Muntinga bv, Amsterdam

www.rainbow.nl

Een uitgave in samenwerking met
Em. Querido's Uitgeverij BV, Amsterdam

www.querido.nl

www.hellahaasse.nl

Omslagontwerp: Studio Jan de Boer
Foto omslag: Evelynde Morgan / Getty Images
Druk: Bercker, Kevelaer
Uitgave in Rainbow Pockets oktober 2008

ISBN 978 90 417 0743 7 / NUR 311

Amsterdam
15 november 1959

Sera Doornstam deed haar ogen open. Zij lag stil op haar rug en keek in het halfdonker. De gordijnen bewogen, zij bolden langzaam de kamer in en werden dan weer met een ruk weggezogen door de opening tussen vensterbank en half omhooggeschoven raam. Zij kon haar droom van de nanacht niet kwijtraken. Haar lichaam wist dat het wakker was, maar zijzelf wilde nog niet aan de dag geloven. Zij sloot haar ogen: zij zonk in water, door laag na laag van heldergroen tot het diepste kobaltblauw, tussen traag wuivende wieren. Wentelend en zwenkend dook zij tussen waaiers van koraal, haar lange haren als een loom zacht watergewas bewegend rondom haar hoofd. Zij hoorde de orgeltonen van de afgronden der zee... Zij schrok wakker. De wijzers van de wekker naast het kussen waren nauwelijks van stand veranderd. De gordijnen vielen met een zucht achter de windvlaag aan, maar konden die door de smalle raamspleet heen niet naar buiten volgen. Zij draaide haar hoofd om en keek naar het andere bed. Leonard lag met zijn rug naar haar toe. De deken aan zijn voeteneinde bewoog zachtjes. Hij wreef met zijn ene voet over de andere. 'Heb je de storm gehoord, vannacht?' vroeg zij hardop om de droom te verdrijven. Hij antwoordde kortaf ja, maar keerde zich niet naar haar toe. De dingen in de kamer herkregen hun duidelijke dagvormen.

'Dag, goeiemorgen.'

'Goeiemorgen.' De stem uit het andere bed was een echo, meer niet.

'De klok wijst onherroepelijk zeven uur, ik moet eruit.'

Waarom heb ik altijd de neiging plechtige woorden te gebruiken wanneer ik mij tegenover Leonard niet op mijn gemak voel, dacht zij. Hij bleef zwijgend liggen. Zij sloeg de dekens terug en zette haar voeten op de grond. De leren voering van haar pantoffels was kil. Zij liep om de bedden heen naar het raam. Terwijl zij de gordijnen openschoof, keek zij naar Leonards hoofd op het kussen. Zijn magere nek stak boven het laken uit. De schaduw tussen jukbeenderen en kin scheen donkerder door in de nacht opgekomen baardstoppels. De oogschelpen en blauwdooraderde slapen, en de smalle bovenkant van de neus zagen er in rust weerloos en jongensachtig uit. Zijn sluike zwarte haar werd grijs boven zijn oren.

'Ben je moe, wil je nog wat blijven liggen?' Zij boog zich over hem heen en raakte de haarlok op het kussen aan. Met een hoofdbeweging schudde hij haar hand af. 'Nee, ik sta dadelijk op.'

Zij sloot het raam en liep naar de wastafel. Zij keek naar haar gezicht in de spiegel: het hing bleek, nog gezwollen van slaap, tegen de grijze achtergrond. Water, steen, zeil, glas, alles was ijskoud. Buiten het raam zwierden krijsend de meeuwen. Zij hoorde tussen het geluid van windvlagen door een kar over de keien ratelen, op de brug hield met luid gegier van remmen een tram stil. De dag opende zich als een gat, een draaikolk... Zij droogde zich hardhandig af. In de kleren die zij aantrok hing nog een vage geur van sigarettenrook. Zij kamde haar haren zonder blik in de spiegel. Achter de muren werden kinderstemmen hoorbaar. Zij knielde op de rand van het bed waarin Leonard roerloos onder de deken gedoken lag. 'Is er iets, wat heb je toch?' Zij herhaalde die vraag, toen zij geen antwoord kreeg, en legde haar hand op de plek waar zijn schouder moest zijn. Er werd aan de gesloten deur gerammeld.

'Moeder!' riepen de kinderen in de gang, opgewonden schuifelend en springend op de krakende planken. Sera opende de deur op een kier. 'Wacht even, ik kom dadelijk bij jullie.'

Maar zij waren niet voor rede vatbaar, eisten trappelend, elkaar verdringend, haar aandacht. Dorit van acht, Casper van tien.

'De meermin is van het dak gewaaid!'

'Ze ligt in honderdduizend gruizels op de stoep!'

Sera schoof het raam weer omhoog en keek naar buiten. In

de gracht stond een stuwing van kleine loodkleurige golven. Wolkenrafels dreven laag, razendsnel, over de daken voorbij, zwartgrijs tegen de gemarmerde regenlucht. Een onafzienbare rij auto's was al geparkeerd tussen de iepen langs het water. Het ochtendverkeer joeg over de brug. Zij keek naar beneden en zag de brokken van het gevelbeeld op de stoep liggen, ondanks het vroege uur zorgvuldig bij elkaar geveegd: het verbrijzelde hoofd van de meermin, staartfragmenten, en verder een hoop onherkenbaar puin. Er bekroop haar een rampgevoel. Het beeld op de daklijst was altijd aanwezig geweest, joyeuze zeegodin die opspringt uit een golf, met de kinkhoorn aan de getuite mond, klaar om triomf te blazen over de daken. Met sneeuw bestoven, glimmend in de regen of als silhouet tegen een heldere zomerhemel, door spel van zon en schaduw tastbaar kogelrond de borsten, levend de vinnen en schubben van haar kronkelstaart, met een groengrijs patina als van algen overtogen, altijd anders, toch dezelfde, een teken.

Digna stond – nog in pyjama – haar schooltas in te pakken. Zij was in een slechte bui, stak haar onderlip mokkend onverschillig vooruit, smeet met de boeken.

'Zeg tegen die kleintjes dat ze ophouden met me te pesten.'

'Wij pesten haar niet,' zei Casper, 'wij wilden alleen door haar raam naar beneden kijken.'

'Net goed dat die idiote meermin kapot is.'

'Och, je bent zelf gek!' schreeuwde Dorit, op en neer springend achter Casper. Digna keerde haar bleek boos kindergezicht naar Sera.

'Laat ze ophoepelen. Ga weg, jullie. Nou zie je zelf wat een rothuis dit is, als het hard waait valt het uit elkaar. Ik begrijp niet waarom wij hier moeten blijven. Niemand van onze klas woont in het centrum.'

'Toe, ga je aankleden.'

Digna schopte tegen de schooltas. Haar dunne polsen en enkels staken ver uit de mouwen en broekspijpen van haar pyjama. 'Ik weet niet wat ik aan moet. Ik heb niks wat me past.'

Sera joeg de anderen weg en sloot de deur naar de gang. Digna zuchtte luid, tot het uiterste geprikkeld. Zij stond koppig en hulpeloos middenin de kamer. Bed en stoel waren bedekt met truien, ceintuurs, ondergoed.

'Mijn passerdoos is weg.'

'Ik zoek wel, kleed jij je intussen aan.' Sera verschoof de boeken, schriften en dozen op tafel.

'Niet aankomen! Maak nou niet alles in de war! Dit is de enige kamer in huis waar het geen rotzooi is.'

'Jij bent met je verkeerde been uit bed gestapt.'

'O!' Het kind rukte met een ingehouden kreet van ongeduld de plastic gordijnen rondom de wastafel opzij. 'Ik heb rot gedroomd, als je het weten wilt,' zei ze na een ogenblik zwijgen stug. Iedere voortijdige opmerking zou als ondraaglijk ervaren worden en vertrouwelijkheid in de kiem smoren. Sera hield dus haar mond en keek verder achter de stapeltjes boeken.

'Ik droomde dat ik wakker werd,' vervolgde Digna, luidruchtig bezig bij de wastafel. 'Middenin de nacht, er was iets engs hier, ik weet niet meer wat. Ik riep vader en jou, maar jullie kwamen niet, en toen ging ik jullie zoeken, maar jullie slaapkamerdeur was dichtgemetseld. Jullie bestonden niet. Waarom zeg je niks?'

Zij rammelde met beker en tandenborstel, maakte opzettelijk lawaai om haar gespannen wachten, haar radeloos ongeduld te maskeren. Zonder iets te onderscheiden staarde Sera naar de boeken voor zich op het muurplankje. Het besef tekort te schieten lag in haar als een steen.

'Ach, je hebt niet eens geluisterd!' riep het kind fel vanachter het gordijn.

'Jawel, hart. Het was maar een droom, moet je denken.'

'Dat weet ik ook wel, ik ben niet gek.'

Sera ging naar haar toe. Zij wilde haar hand leggen op dat hoofd, zo rond en nog zo kinderlijk van vorm, zo hard ook onder het gladde haar. Maar Digna dook weg, keerde haar een hoekig opgetrokken schouder toe. 'Zit nou niet aan me, ik moet opschieten.' Zij bewoog zich door de kamer, onhandig en nors, omdat zij wist dat haar moeder op haar lette.

'Zal ik je ontbijt hier brengen, wat wil je eten?'

'Ik heb geen tijd en ik heb geen trek. Alles is hier trouwens vies.'

Sera ging de keuken binnen, een vierkante kleine kamer aan de achterkant van het huis, die vóór zij het douchehok hadden laten maken als badkamer was gebruikt. De muur achter gastoestel en gootsteen was met zeildoek beplakt. Op de planken stond een heterogene verzameling pannen en bussen. Zij nam het brood uit de trommel en legde het op tafel. Het was droog, viel bij het snijden in brokken uit elkaar. Als zij het probeerde te smeren, bleven er kruimels plakken aan de rand van de boterpot.

Digna verscheen op de drempel. 'Het wc-papier is op.' Zij keek met een grimas van afschuw naar de stukken brood, kaas en koek die Sera op een bord legde. 'Dat is toch niet voor mij?'

'Nee, voor de kleintjes.'

'Toe nou, wc-papier.'

Sera zocht in de kast, op de plank onder het aanrecht. 'Ik heb niet meer. Hier is een krant.'

Zij hoorde Digna driftig het papier in stukken scheuren.

'Zal ik een ei voor je bakken?' riep zij, beschaamd en ontmoedigd. Er kwam geen antwoord. Zij hield een vaatdoek onder de kraan en boende vlekken van het plastic tafelkleed weg. Zij zette borden en bekers voor Casper en Dorit klaar. In de gang viel met een bons Digna's zwaar geladen schooltas op de grond, teken dat zij bezig was haar jas aan te trekken. Sera liep naar haar toe om haar goedendag te zeggen. Zij liet een kwartje in Digna's zak glijden.

'Koop onderweg een krentenbol. Je kunt niet de hele ochtend zonder eten rondlopen.'

'Ik heb geen trek,' herhaalde het kind. Zij rukte aan de ritssluiting van haar windjack, die vast bleef zitten. 'Het is hier ook zo donker. Wanneer doen jullie eens een nieuwe peer in die lamp. Ik wou dat we gingen verhuizen. Hè nee, frunnik nou niet aan me.'

'Doe niet zo.'

'Doe jij niet zo,' antwoordde Digna hard.

Dorit en Casper zaten aan de keukentafel te eten. Niets aan hen was ook maar een seconde in rust. Zij trapten naar elkaar, morsten melk, schoven heen en weer, zodat de stoelpoten nieuwe groeven maakten in het al dicht bekraste zeil. Zij vielen gewoonlijk van het ene uiterste in het andere, van niet tot bedaren te brengen uitgelatenheid in blind verdriet en wilde woede. Nu eens sloegen zij elkaar bont en blauw, dan weer bleken zij onafscheidelijk. Hielden zij van elkaar, van anderen? Zij schenen zich nooit aan iets of iemand te hechten. Hun vlagen van aanhankelijkheid hadden een onpersoonlijk element: zo komt de zon op winderige dagen telkens weer vanachter een wolk tevoorschijn en vliegt er snelle glans over het land. Al toen Casper en Dorit heel kleine kinderen waren, had Sera die wezenlijke ongenaakbaarheid gevoeld. Ook in haar armen, om te spelen, getroost of in slaap gewiegd te worden, bleven zij onberekenbaar en van nature onbewust eenzaam, als diertjes. Nu verschrikten zij haar op de meest onverwachte ogenblikken met een onverschilligheid die dieper kwetste dan Digna's vijandige of weerbarstige buien. Digna's verzet was een masker van hulpeloosheid en angst. Dorit en Casper waren nooit bang of hulpeloos. Soms als Sera hen vanuit de verte zag naderen langs de gracht, wanneer zij uit school kwamen (haast even groot in hun rode windjacks, met dezelfde springerige bewegingen snel manoeuvrerend tussen auto's en fietsen door) of tegenover zich aan tafel zoals nu (hun waterheldere lichtbruine ogen in hun blanke ronde gezichten) welde pijnlijke verbazing in haar op. In Digna klopte en trilde er iets onder de stugge korst, maar Casper en Dorit waren gaaf en hard als edelstenen, er waren in hen elementen van nog onder het leven, van vóór het menselijke, als in mineralen.

Nadat zij de door Digna versmade boterhammen hadden opgegeten, holden zij de trappen af. Hun voetstappen bonkten en bolderden op de onbedekte treden van de bovenverdieping, klonken gedempter, maar toch nog altijd hard genoeg, te hard (daar bovendien nog begeleid door piepend schuren van hun handpalmen over de leuningen) op de lopers van de bel-etage, waar Leonards ouders woonden.

Sera keek over de balustrade van de trap en zag op de onderste trede de brieven liggen die met de ochtendpost gekomen waren. Zij ging naar beneden om ze te halen. Langzaam liep zij terug, terwijl zij een voor een de enveloppen bekeek. Leonard stond op het portaal.

'Voor jou.' Zij reikte hem een tijdschrift toe. Hij wierp een blik op de brief in haar hand.

'Van Frank Swaart,' zei zij verklarend. 'Hij had beloofd me te schrijven wat hij van "De duiker" vindt.'

Leonard liep de keuken in.

'Heb je die mensen van de radio al geantwoord?'

'Nog niet.'

'Je gaat toch hoop ik niet op hun voorstel in. Je moet van "De duiker" geen hoorspel maken.'

Zij schonk thee voor hem in en ging ook aan tafel zitten.

'Ik weet het niet.'

'Als ik jou was, zou ik het niet willen. Je werk leent zich helemaal niet tot zoiets.'

'Het is een verhalend gedicht. Er zitten wel mogelijkheden in tot dramatiseren. Die verschillende gedeelten. "De zee", "De maalstroom", "De verdronkenen"... En met muziek erbij...'

Leonard zuchtte met samengeknepen lippen.

'Je weet hoe ik erover denk. Waarom beeld je gespletenheid uit? Je valt de lezer in de rug aan. Nog meer verwarring, nog meer onzekerheid. Een mens is in zichzelf aan de haaien overgeleverd. Dat is toch de betekenis van je gedicht...'

'Niet waar,' zei Sera heftig en verschrikt. 'De duiker is juist het element in de mens dat zich verzet. Heb je dat niet begrepen?'

'Ik wil niet praten, ik heb geen tijd.' Leonard stond op. Zij legde haar hand op zijn arm, maar hij trok zich los. Zij liep hem na de gang in.

'Is het dat wat je de laatste tijd zo hindert? Waarom heb je niets gezegd?'

'Och welnee,' zei hij afwerend. 'Doe maar wat je wilt.'

'Niet als er misverstanden uit voortkomen.'

'Er is geen sprake van een misverstand. Jij voelt het niet aan. Je moet onbarmhartig kieskeurig zijn, anders gooi je jezelf weg.'

'Moet je weer naar A. vandaag?' vroeg zij aarzelend. Zij merkte hoe bij het uitspreken van die plaatsnaam, nog altijd, een gevoel van angst en onlust haar bekroop. Zij keek Leonard niet aan...

'Nee, ik hoef niet meer. Hazekamp is terug van de Rivièra, hij heeft de zaak overgenomen.'

'Vind je het jammer?'

Leonard antwoordde niet dadelijk. Hij trok zijn jas aan en tastte bovenop de kapstok naar zijn handschoenen.

'Hazekamp kent die cliënte al jaren. Zij had liever dat hij zich ermee bemoeide. Ik moet nu weg.'

Met aandacht had Leonard een week tevoren geluisterd naar de uiteenzettingen van de eigenares van het buiten in A. Zij was een gescheiden oudere vrouw, die haar jeugd had willen vasthouden door kapsel en kleding uit haar bloeitijd, de jaren twintig, te blijven dragen. Haar geelgrijze haar was kortgeknipt en geonduleerd, de sluike japon van duur materiaal reikte nauwelijks tot haar knieën. Zij rookte sigaretten uit een lange houder. Zij was zenuwachtig en boos, omdat haar advocaat, mr. Hazekamp, haar niet zelf van advies kon dienen. Leonard had zich beijverd haar op haar gemak te stellen. Er was immers voorlopig geen enkele aanleiding te veronderstellen dat zij persoonlijk betrokken zou worden bij het onderzoek naar wat in de landelijke pers 'de gruwelijke vondst te A.' werd genoemd. Zij moest uiteraard wel op vragen voorbereid zijn.

Zij had Leonard ontvangen in haar bibliotheek. Zij was daar

waarschijnlijk 's winters zelden of nooit. Er brandde wel een kachel, maar de kamer rook onbewoond, ongebruikt, er hing een muffe lucht van oude boeken en bekledingsstof. Zij had het vorige jaar een gedeelte van het bij haar huis behorende terrein verkocht. Bos- en duingrond, een stuk natuurschoon, goed, maar zij had er niets aan. De nieuwe eigenaar, een aannemer, wilde er een rij luxe bungalows neerzetten. Bij graafwerk was er in een oude stapelput onder een laag ongebluste kalk een skelet ontdekt, dat daar minstens vijftien jaar gelegen moest hebben. 'En dat schijnt nu juist het punt te zijn waar alles om draait,' had de cliënte nerveus rokend tegen Leonard gezegd. 'Was dat lijk in een willekeurige kuil gevonden, dan zou niemand de moed gehad hebben mij ermee lastig te vallen. Maar alleen een insider kan van het bestaan van die put op de hoogte geweest zijn, zeggen ze. Ik woon hier al dertig jaar. Mijn hemel, hoe kan ik me herinneren wie er allemaal bij mij in huis geweest zijn. Vroeger, voor de oorlog, gaf ik veel party's. Emile Hazekamp kent mijn soort van vrienden, hij weet dat het eenvoudig klinkklare nonsens is te denken...'

'Maar dit moet in de oorlog gebeurd zijn.'

'Ja, dat zeggen ze. Ze kunnen zoveel beweren. Ze maken mij niet wijs dat je zoiets met absolute zekerheid kunt vaststellen.'

Leonard vond haar een onsympathieke eigenzinnige vrouw. Hij begreep dat zij een afkeer had van publiciteit, dat zij geen inbreuk op haar privé-leven duldde. Maar toen zij op zijn vraag naar haar omstandigheden in oorlogstijd geprikkeld en hooghartig verklaarde dat niemand daar iets mee te maken had, kon hij het niet laten door te zetten.

'Hebt u nooit onderduikers in huis gehad?'

'Dat heeft de politie mij ook al gevraagd. Nee, het zou te riskant geweest zijn, vergeet u niet dat ik hier vier man personeel had wonen, de hele oorlog door, ik wilde die mensen niet op straat zetten.'

'Maar hier in de buurt zullen toch vermoedelijk wel...'

Zij onderbrak hem, terwijl zij driftig haar sigarettenhouder leegklopte: 'Ik weet niets van de buurt, ik heb hier in A. geen kennissen, ik stel absoluut geen prijs op omgang...' Bij het afscheid nemen informeerde zij weer nerveus en nadrukkelijk naar Hazekamps gezondheidstoestand. 'God, wat ellendig dat hij er nu net niet is...'

Enkele dagen later kwam Hazekamp zijn kantoor binnen, alsof hij nooit was weggeweest. Hij zag er niet beter en niet slechter uit na zijn verblijf in het zuiden. Hij was van top tot teen een vale man, vaal van haar en huid, in vale pakken, 's winters onbestemd donker, 's zomers onbestemd lichter grijs van kleur. Vermoedelijk was hij de laatste die nog slobkousen droeg, met knoopjes opzij. Hij hoestte altijd een beetje, genoeg om een reden te hebben voor periodieke afwezigheid, niet zo erg dat hij het niet met een verontschuldiging kon wegwuiven wanneer het hem beter uitkwam in de stad te blijven. Na zich in hoog tempo half verstrooid op de hoogte gesteld te hebben van de stand van zaken in het algemeen, trok hij zich met Leonard terug in zijn privé-werkkamer, om aan te kondigen dat hijzelf de zaak in A. zou overnemen.

'Ik ken die vrouw al zo ontzettend lang, het is een cliënt met gebruiksaanwijzing, beter dat ík dat behandel,' zei hij snel, terwijl hij brieven en papieren heen en weer schoof op zijn bureau.

'Heeft zij u een telegram gestuurd?'

'Opgebeld, naar Nice! Een lastig mens, zij heeft niets anders aan haar hoofd. Over die geschiedenis hoeft zij zich werkelijk niet op te winden, zij heeft er niets mee te maken, het is bovendien een verjaard geval. Wat is jouw indruk?'

'Ik weet het niet,' zei Leonard. 'De definitieve uitslag van het laboratoriumonderzoek is nog niet bekend. Het geraamte is vermoedelijk van een jonge vrouw, zeventien of achttien jaar geleden begraven. Het kan een liquidatiegeval uit de bezettingstijd zijn.'

Hazekamp staakte het opensnijden van brieven en sloeg zijn kleine vale ogen naar Leonard op.

'Het kan ook iets heel anders zijn. Lustmoord, crime passionnel, gewoon een ongeluk. Het doet er in dit geval niets meer toe.'

'Volgens mij zouden er toch wel aanwijzingen...' begon Leonard, maar Hazekamp schudde het hoofd en viel hem in de rede: 'Amice, je moet oppassen dat bepaalde dingen geen obsessie voor je worden. Ik herinner me, hoe je destijds, in '42, al bezeten was van idee-fixen in dat opzicht. Je vermoedde ook aanslagen waar er geen sprake van was, en in dat enkele, enige geval waar jij en ik ooit bij betrokken zijn geweest, maakte je je verschrikkelijke gewetensbezwaren terwijl je toen de verantwoordelijkheid voor een beslissing rustig kon overlaten aan anderen...'

'Ik heb dat probleem niet ter sprake gebracht,' zei Leonard verwonderd. 'Maar nu u het zelf aanroert... Is dat ooit mogelijk, je volledig te onttrekken aan de verantwoordelijkheid voor iets waar je mee te maken hebt?'

'Onder bepaalde omstandigheden kan het niet anders.'

Leonard trok twijfelend zijn schouders op. Zij zwegen beiden een tijdlang. Hazekamp verfrommelde drukwerk en omslagen en gooide de proppen in de prullenmand.

'Hölmann was een vijand,' zei Leonard tenslotte, 'een mensenverrader, een moordenaar. Dat maakte zijn liquidatie in zeker opzicht minder problematisch. Maar natuurlijk zijn er andere gevallen geweest. Dat weet u toch ook. Er zijn mensen uit het eigen kamp uit de weg geruimd, om allerlei redenen, die soms alleen maar verdácht werden van verraad of gevaarlijk optreden, zonder dat er bewijzen waren.'

'Wat je daar zegt is een ernstige aanklacht tegen de illegaliteit, ben je je daarvan bewust?'

'Merkwaardig, dat u er een aanklacht in hoort. U moet toegeven dat er verschrikkelijke vergissingen gemaakt zijn, dat het vaak een gevaarlijk spel was.'

'Spel?' Hazekamps stem schoot scherp uit. 'Wie grote verantwoordelijkheid droeg, moest grote risico's durven nemen. Jij hebt geen recht van spreken. Hoe oud was je toen, twintig, eenentwintig? Jij kon de situatie niet overzien, niet voldoende tenminste om je een oordeel aan te matigen over "het" verzet.'

'Dat was juist mijn bezwaar. Niemand wist eigenlijk precies wat hij deed en waarom. De een had dit doel, de ander dat. Je kende elkaars drijfveren niet. Je interpreteerde een opdracht op je eigen manier... waarschijnlijk verkeerd, al deed je wat er van je verwacht werd. Daar zijn misverstanden met dodelijke afloop uit voortgekomen.'

'Wat wil je? A la guerre comme à la guerre,' zei Hazekamp vermoeid. 'Kent een soldaat de strategische plannen van zijn aanvoerders? Hij gehoorzaamt. Hij moet in staat zijn aan anderen over te laten wat hij niet begrijpt. Ja, ik weet al wat je zeggen wilt. Waar ligt de grens tussen deze vorm van discipline en het vervloekte Kadavergehorsam van de moffen tegen wie jij en ik en de anderen uit onze Valerius-groep destijds met levensgevaar in de weer geweest zijn... Misschien juist in onze gemeenschappelijke afschuw van de robotmens. Dacht je soms dat het voor mij zo eenvoudig was, toen? Je kent mijn walging ten aanzien van ongenuanceerd denken. Maar er was een band van vertrouwen, van vriendschap tussen ons allemaal, tussen jou en mij... Het sprak voor jou toch vanzelf dat je mij om hulp vroeg toen je naar Engeland wilde, dat je na je examens in '47 bij mij kwam solliciteren? Als we beiden die band niet voelden, als we niet getekend waren door de samenwerking van toen, zouden we dan na al die jaren plotseling zo emotioneel ingaan op... ja, waarop eigenlijk? Hoe zijn we hierop gekomen?'

Leonard had het op zijn lippen te zeggen dat de emotionaliteit geheel van Hazekamps kant kwam en dat diens neiging het onderwerp in een persoonlijk vlak te trekken hem verbaasde. Hazekamp zelf scheen zich bewust te worden van Leonards bevreemding. Hij stalde brieven en andere papieren voor zich uit met de besliste gebaren van wie een gesprek als geëindigd beschouwt. Zonder Leonard aan te kijken zei hij op zijn gewone, zakelijke, wat geaffecteerde toon: 'Wat die vondst in A. betreft, dat zijn louter veronderstellingen. Laten wij maar rustig wachten met een oordeel tot er meer gegevens beschikbaar zijn. Hoe dan ook, onze cliënte staat erbuiten. Geen romantiek, amice, geen romantiek. Ik zou het bijzonder op prijs stellen wanneer jij vandaag eens poolshoogte wilt gaan nemen in dat clichéfabriekje, je weet wat ik bedoel, je bent op de hoogte van die zaak...'

Leonard ging naar beneden, maar Sera hoorde de voordeur niet dichtslaan. Nog terwijl zij, luisterend, de resten van het ontbijt opruimde, klonken zijn voetstappen alweer op de trap tussen de eerste en tweede verdieping. Zij keek over de balustrade.

'Papa en mama vragen of je straks even komt,' riep hij.

Omdat zij hem vanaf de plaats waar zij stond niet zien kon, liep zij een eind de trap af. 'Leonard!'

'Ja, wat is er?'

Zij stak haar hand uit: 'Ik wil je alleen goedendag zeggen.'

'Ach, overdrijf toch niet. Tot straks.' Hij was weg eer zij het wist. Zij hoorde alleen nog zijn zolen kraken en het rammelen van de loshangende gespjes aan zijn aktetas. Haar ogen schoten vol tranen. Zij gooide haar hoofd achterover en slikte ze weg. Weer terug in de keuken opende zij de brief die op tafel lag.

'Beste Sera, ik ben je nog altijd mijn oordeel over "De duiker" schuldig. Je weet dat ik een en ander graag eerst laat bezinken, zeker in een geval als dit, waar het mijns inziens om meer, of liever gezegd, om iets anders gaat dan strikt literaire kritiek. Ik kan tegenover jou eerlijk zijn. Volgens mij ben jij met je werk op het verkeerde spoor. "De duiker" is vlees noch vis. Je kiest de vorm van een gedicht, maar wat jij schrijft is geen poëzie. Je maakt een berijmd verhaal, dat als gelijkenis bedoeld is. Die opzet blijft voortdurend, voor mij hinderlijk, voelbaar, ook al geef je je veel moeite om door een overvloed van details het duikersbedrijf en de gevaren en aanlokkelijkheden van de zeebodem als werkelijkheid te schilderen. De afdaling van de duiker, het binnendringen in het wrak, het gevecht met de octopus, de zuurstofnood, het visioen van die volstrekt andere wereld onder water, allemaal heel suggestief en soms wel mooi ook, maar als het jou in wezen te doen is om het onderduiken in je eigen problemen – zoals ik vermoed – waarom dan die beeldspraak, dat indirecte? Als ik "De duiker" goed begrepen heb, gaat het je om de paradox in het menselijke leven, om de aangeboren dubbelzinnigheid van de mens, om de kwelling die het kiezen is. Dat is kennelijk jouw probleem. Maar schrijf er dan ook rechtstreeks over! Waarom gebruik je bepaalde poëtische middelen op een eigenlijk niet-poëtische manier? Want jouw aanpak blijft au fond die van de vertelling, van het betoog, van de geordende mededeling. Hoe knap je coupletten soms ook in elkaar zitten, hoe vernuftig je ook rijmt, het is proza, vermomd als poëzie, en dat doet mij zonderling, om niet te zeggen komisch aan. "De duiker" irriteert me. Terwijl ik lees denk ik: waarom schrijft ze niet over dingen die ze uit ervaring kent? Geef in brandschoon proza een fenomenologie van de werkelijkheid die jij om je heen ziet. Zeggen wat er is, je eigen standpunt op de man af onder woorden brengen. Dan zit je óók onmiddellijk tot over je oren in de problematiek van de paradox, en op een heel wat dwingender manier. De vorm die jij tot nog toe gekozen hebt, maakt het de gemakzuchtige lezer mogelijk afstand te bewaren tot de dingen waar het jou eigenlijk om te doen is. Hij kan zich nu altijd verschuilen achter de gedachte dat het maar een verzinsel is, dat het bij het lezen gaat om fraaie taal, om het Symbool alweer, een verre wazige Diepe Zin. Zo worden je verhalende gedichten tegen jouw wil Hoger Leesvoer. Maar als je zindelijk en sec en onomwonden schrijft over het meest voor de hand liggende, kan niemand er zich van afmaken. Volgens mij zou je helemaal opnieuw moeten beginnen. Geen berijmde verhalen meer met een dubbele bodem die tot misverstanden aanleiding geeft, maar desnoods eenvoudige kleine stukjes, de befaamde tranches de vie. Sartre heeft gezegd, ik weet niet meer waar: "schrijf niet, maar spreek jezelf uit, het doet er niet toe hoe, probeer niet mooi te schrijven."

Zo zeg ik nu tegen jou: gooi die al te bewuste vorm, die stilering, die symboliek overboord. Honderdmaal liever heb ik pretentieloze, van alle literaire aanstellerij gespeende "plaatsbepalingen" aan de rand van de journalistiek, waaruit een misschien onhandige maar in ieder geval eerlijke poging spreekt om te leven als mens tussen mensen, dan "composities" waarin je meer moet lezen dan er staat. Nu iets heel anders. Je weet dat ik roddel verafschuw en literaire roddel nog het meest. Maar dit moet jij wel weten, dunkt me, omdat jij in de jury van de Plume d'Or zit. Fosfer en zijn vrienden bazuinen overal rond dat hij dit jaar de prijs krijgt. Bij zijn uitgever (dat is immers ook de jouwe?) schijnt een nieuwe druk van zijn verzen klaar te liggen met een buikbandje: "Bekroond met de Plume d'Or van dit jaar." Ik hoor ook vertellen dat jij tegengestemd hebt, en dat ik dankzij jou in de voorlaatste ronde nog een serieuze kandidaat geweest ben! Je weet toch, hoop ik, dat ik die prijs onder alle omstandigheden zou weigeren, ondanks de tweeduizend gulden, uit principe, ik ben tegen prijzen. Maar goed. Als ik me niet vergis, heeft de jury nog geen uitspraak gedaan. Het lijkt mij bijzonder schadelijk voor de goede naam van de jury en het prestige van de Plume d'Or als er overal verteld wordt dat de beslissingen van tevoren vaststaan omdat er een pressiegroep aan het werk is. Wat betreft het besprokene op de vergadering zou op zijn minst discretie van de juryleden verlangd mogen worden.

Wanneer zie ik je weer eens? Kan je soms met mij koffiedrinken op de dag dat je deze brief krijgt, dat is morgen, donderdag?'

Steen kletterde op zink. Sera schoof het keukenraam open en keek naar buiten. Beneden op de binnenplaats stortte Koba, de oude dienstbode van haar schoonouders, de brokstukken van de meermin in het vuilnisvat. Even hing er een wolkje stof en fijn gruis. Het deksel viel dicht.

Als kind was zij eens op de kermis in een tent geweest waarin een zeemeermin te kijk geboden werd. Eigenlijk was het meer een pagode dan een kraam, met twee trappen, één omhoog naar de ingang, één van de uitgang omlaag. De planken van de verhoging waren beplakt met stroken papier, waarop taferelen uit de diepzee in schrille kleuren: een duiker worstelend met een reusachtige inktvis, een haai, aangevallen door een school zwaardvissen. Maar het indrukwekkendst was de plaat in het midden, de grootste: door een woud van wieren en koralen zwom een glimlachende zeemeermin, die op haar handpalm een schelp droeg met een parel zo groot als een kokosnoot. Toverachtig, als het ware los van de aarde, rees de pagode tegen de avondhemel, die rossig leek door de gloed van de lampenslingers op het feestterrein.

'Daar moeten we in,' zei Sera's vader, 'kom kinderen, willen jullie dat zien, een meermin?'

Mizet gilde 'Ja!' maar Sera knikte alleen, zij had niet durven hopen dat dit werkelijk gebeuren zou. Zag je daar het geheim van de zee, een levend wezen uit die diepten vol blauw en violet schijnsel, dat ook ademen kon aan de oppervlakte? Het leek Sera niet ongerijmd dat een meermin voor korte tijd haar element verlaten zou om zich in een vergulde koepel aan de mensen te vertonen, een afgezante uit voor stervelingen onbereikbare regionen.

Toen zij aan de kassa kaartjes kochten van een verflenste vrouw in een hardroze kanten blouse, kwam er toch angst in haar op: was de zeemeermin hier wel uit vrije wil? De entree kostte vijftig cent per persoon, dat was anderhalve gulden voor hen drieën. Haar vader aarzelde even, maar toen hij de gespannen gezichten van de kinderen naar zich omhoog geheven zag, schoof hij het geld door het loket. Er klonk gesis en gefluister onder hun voeten toen zij de houten trap beklommen, de wanden van de pagode bewogen heen en weer, Sera zag nu dat die was gemaakt van verguld, beschilderd doek dat over dunne latjes was gespannen. Bij de ingang doemde plotseling een man op die de kaartjes controleerde en hen tegenhield toen zij door een gordijn van gekleurde kralenslingers naar binnen wilden gaan. Zij moesten wachten tot er nog meer mensen boven waren. Toen de man er tien telde – Sera hoorde haar vader haast onmerkbaar zuchten – stak hij zijn hoofd naar binnen en riep iets. Sera schuifelde achter Mizet de donkere ruimte in. Eerst kon zij niets onderscheiden, toen zag zij voor zich een vage lichtglans. De man, die bij de ingang had staan roepen: 'Ja, doorlopen maar, hierheen!' kwam naderbij en duwde haar ruw en onverschillig naar voren, tot zij tegen iets hards stootte, het leek wel de rand van een put, er scheen licht uit de diepte.

Daarbeneden zag zij de zeemeermin. Stukken geverfd kippengaas en gekleurd zilverpapier hingen aan duidelijk zichtbare touwen en spijkers tegen rotsen van karton. Op een hoop schelpen lag een meisje met een blonde pruik op. Om haar heupen was een flodderige zak van geschulpte stroken bruin en groen gebonden. Zij droeg een bustehouder met lovertjes. De man klapte in zijn handen, zij glimlachte gemaakt en wuifde met een slap handje naar de toeschouwers. 'De koningin van de zee!' riep de man, 'door vissers levend opgehaald aan de kust van de Hebriden!' Het meisje kronkelde lusteloos op haar bed van wier en schelpen. Een paar jongens schreeuwden iets wat de kijkers in lachen deed uitbarsten, de kinderen hadden het niet verstaan.

'Het is geen echte,' zei Mizet, 'wist ik wel.'

Sera herinnerde zich nog goed de verbijstering, de verstikkende woede die zich van haar hadden meester gemaakt toen zij met Mizet achter hun vader (die met de handen op de rug zwijgend voortstapte) terugliep over het kermisterrein vol gegil en getoeter en walm van wafelbakkerijen en schel licht. Zij was niet kwaad omdat zijzelf teleurgesteld was in haar verwachting een echte meermin te zullen vinden; zij had het gevoel dat haar vader een niet goed te maken onrecht was aangedaan, dat men hem bedrogen en verraden had. Zij verdiepte zich geen ogenblik in de vraag of hij ooit geloofd had dat er meerminnen bestonden. Zij had niet kunnen zeggen waarom zij hem als slachtoffer beschouwde. Zij zag zijn vale dunne nek boven de kraag van zijn jas, zijn grauwe haar, de manier waarop hij plotseling zijn stap versnelde en zijn schouders samentrok, alsof hij hard had willen weglopen, alléén ergens naartoe, ver buiten bereik van het lelijke en domme; maar hij bleef staan, zodat Mizet en zij hem konden inhalen, en stak zonder omkijken zijn handen naar hen uit. Nu konden zij hem vasthouden in het hevige gedrang rondom de schietkramen. Hij wist dat zij bang waren voor knallen. Terwijl Sera met twee handen haar vaders hand omklemde, haatte zij de kermis, het lawaai, de meermin die niet echt was, het niet onder woorden te brengen harde en dreigende dat als een vloedgolf boven hun leven hing.

Ook als kind al had zij begrepen dat haar vader muzieklessen gaf, door weer en wind ging hij met zijn tas vol telkens opnieuw gekafte en bijgeplakte boeken en zorgvuldig scherp gepunte potloden (hij sleep die bij het aanrecht, in de keuken, 's ochtends vroeg, in hemdsmouwen, neerslachtig voorovergebogen), dat hij op danslessen en feesten speelde, partijen uitschreef voor koren en amateur-operetteclubs, opdat Mizet en zij en de zwaarmoedige vrouw die vaak zelfs niet opkeek als zij 'mamma' zeiden, een betrekkelijk zorgeloos bestaan zouden hebben. Wat hij gehoopt en gedroomd had, wat misschien bereikbaar geschenen had, in zijn conservatoriumtijd en vlak daarna, toen hij bekende zangers en zangeressen op hun tournees begeleidde en ook zelf wel eens een recital gaf, wist zij niet eens. Hij praatte daar nooit over. De zeldzame keren dat hij thuis voor zichzelf pianospeelde was er soms iets in die muziek wat Sera de oren deed spitsen of hartbrekend huilen en wat haar later, toen zij ouder was, innerlijk stil en hard maakte van een anders niet te verdragen medelijden. Toen zij vlak na de oorlog aan zijn sterfbed stond, had zij als een beest willen schreeuwen van wanhoop en woede, hetzelfde gevoel dat haar langgeleden op de kermis na het bezoek aan de zeemeermin overrompeld had. Hij lag daar zo dun en wit en broos, geen muziek hielp tegen de pijn. Zijn credo was geweest dat muziek niet liegen kon; hij stierf aan zijn vergeefse pogen van dissonanten harmonie te maken.

De woonkamer was blauwgroen als een aquarium. Het licht werd er door een blauw vloerkleed en gele gordijnen weerkaatst, filterde door de handvormige bladeren van de grote planten die vanuit de vensterbank langs een netwerk van draden opklommen tot aan het plafond. Over de muren lag een groenachtige glans, soms bevend met vage lichtuitvloeiingen wanneer buiten de zon op het water scheen. Nu waren er geen reflecties, de hemel was grijs, de varens voor het raam bewogen in de ijskoude tocht. Wanden en zoldering hadden de ondoorzichtige blauwe blankheid van eierschalen, iedere bluts en schilfer in de kalk, de richels van het stucwerk, de rechte oneffen strepen waar de banen behang over elkaar heen geplakt waren, wierpen schaduw. De dingen stonden helder omlijnd in het onbedrieglijke licht. In hun volmaakte zichtbaarheid en tastbaarheid gaven zij toch niets prijs. Tuurde Sera door halfgesloten oogleden, dan was de kamer een wereld van vlakken zonder diepte: het blauwe vierkant van het tapijt op het zwarte vierkant van de vloer, het witte vierkant van het lage marmeren tafelblad op het blauwe kleed. Nog een ijlere wereld tenslotte, die van de lijnen, de witte en zwarte verticale lijnen van de meubelpoten, de horizontale van zittingen en plinten, het netwerk van strepen en plooien op de gordijnen. Alleen de wilde arabesken van de planten met hun gespleten bladeren en luchtwortels en de neerhangende veervormige varens, alleen de schots en scheef staande bontgekleurde ruggen van boeken in de kasten, verstoorden het strakke akkoord van geometrische figuren. Sera gooide snel de asbakken leeg in de prullenmand. Zij zag bij het bukken dikke stofvlokken onder de bank en de kasten. 'O nee,' zei zij hardop, in verzet, maar het volgende ogenblik lag zij al op haar knieën en veegde voorovergebogen met een doek de grijze pluimagesubstantie tot een langwerpige richel; het deed haar denken aan de vuile schuimkorsten die soms op het strand achterblijven, en die de wind in vlokken uiteenblaast. Leonard en zij hadden lange strandwandelingen gemaakt vroeger, in de tijd toen zij elkaar meestal buiten ontmoetten, omdat zijn ouders tegen hun omgang waren. Tussen de ruisend aanrollende zee en de duinenrij, over het vochtige geribbelde zand, met de wind in de rug, hadden zij uren gelopen. Als zij elkaar aankeken, moesten zij glimlachen, om hun vrijheid en om de zwermen kleine vogels die als in een spel bij iedere golf vliegensvlug wegtrippelden van de vloedlijn en dan zodra het water zich terugtrok nieuwsgierig weer de zee naderden. In haar herinnering waren dat altijd zonloze grijze dagen met veel wind. Dat was in de oorlog geweest, vóór de stranden ontoegankelijk werden. De woelige zee glansde loodkleurig, met bruine weerschijn boven de zandbanken. Sera duwde met de neus van haar schoen tegen de taaie groezelige schuimribbels, intussen luisterend naar Leonard, die na een beginperiode van zwijgen – meestal durend vanaf hun vertrek uit de stad tot halverwege de wandeling – losbarstte in hardop denken. Zij zag in die tijd zijn beeld scherpomlijnd tegen een schimmige troebele achtergrond: zijn leven thuis, zijn ouders, die zij, sinds Leonard geen pianoles meer van haar vader had, nog maar een enkele keer ontmoette en dan altijd uit de verte, zijn broer Eduard en zijn zuster Emily, die zij helemaal niet kende. De problemen die Leonard bezighielden kon zij niet in hun volle omvang doorgronden, het bleven voor haar onontwarbare knopen, labyrintisch dooreengestrengelde draden. De vragen en opmerkingen waarmee zij hem trachtte te helpen waren altijd maar op een deel van de zaak van toepassing. Zij schoof en verschoof in gedachten de flarden en brokstukken die Leonard prijsgaf, als de figuurtjes van een onvolledige legpuzzel. Zij begreep dat de stijlvolle rust en regelmaat in het huis aan de Keizersgracht, in haar ogen de grootst denkbare weelde, voor Leonard juist een bedreiging vormden. In háár leven waren nooit en nergens orde en evenwicht te vinden. Haar moeder werd toen al verpleegd in een inrichting. Meneer Diem en zijn dochters woonden op een etage, de bovenverdieping hadden zij verhuurd. Zelden waren zij alledrie tegelijk thuis. Hun bestaan was een jachtige estafette van werken, koken, boodschappen doen. 's Zondags gingen zij naar de inrichting in een dorp tussen bos en hei. Zij zaten bij de zieke vrouw in de bezoekzaal of wandelden, als het goed weer was, met haar op en neer in de sparrenlanen.

Sera leefde slordig maar intens in de onversierde werkelijkheid, van de ene dag op de andere, met geen andere maatstaf dan dat mensen elkaar niet nodeloos pijn moeten doen en dat er geen zekerheden zijn. Zij vergat vlug wat hinderlijk of onbegrijpelijk was, tegelijk was zij altijd bereid zich aan te passen, te aanvaarden wat haar ten deel viel. Het verrukkende en verschrikkelijke lagen vlak naast elkaar, gingen in elkaar over. Op een dag vol warmte en zonlicht, met een geur van zomer in de lucht, nadat zij met zijn vieren vrolijk op het balkon kersen hadden zitten eten, was haar moeder voor het eerst zo vreemd gaan lachen, was haar voorgoed afwezig zijn begonnen. In een kille straat vol sneeuwmodder hing plotseling de zware rijke geur van vers gebrande koffie. Er werd een hond overreden, die schel jankend als dronken wegtuimelde naar de rand van de stoep en daar dood neerviel – maar op de hoek van de straat stond een bloemenkar, een piramide van asters en chrysanten, brons, goud, en paars, de bitterzoete kruidige geur woei tot waar het verminkte dier lag in een plas bloed. De levens van Sera en Leonard waren zo ver van elkaar verwijderd als het maar kon. In die tegenstelling wortelde misschien ook hun liefde – als liefde een passend woord was.

Sera ging op haar tenen staan om een litho aan de muur recht te hangen: bladeren op een vijveroppervlakte, spiegeling van onzichtbare boomstammen, een vis met een stil raadselachtig oog roerloos in de bovenste waterlagen. Zij opende het raam op een kier en sloeg snel de stofdoek uit, de vlokken woeien omhoog langs het huis.

Over het pièce de milieu, een kudde zilveren miniatuurkoeien heen, reikte haar schoonmoeder haar een kop thee aan. 'Ik ben er altijd al bang voor geweest dat het beeld eens naar beneden zou komen. Laatst zei ik nog tegen papa: je ziet het bewegen als het waait. Stel je toch voor dat iemand op de stoep had gestaan...'

'Er stond niemand op de stoep,' zei Doornstam stug. Hij maakte een verstrooide indruk, verschoof zonder reden telkens weer een zilveren kalfje, keek een paar maal op zijn horloge.

'Ja maar, gesteld...'

'O hou op. Er was niemand op de stoep, de hemel zij gedankt, en het beeld is ad patres, wat me spijt, bijzonder spijt, dat kan ik je wel zeggen...'

'Wat ben je prikkelbaar vanochtend.' De oude vrouw tastte met spitse vingers naar het haarnet over haar kapsel. Prismakleuren vonkten in een pinkring. Zij trok een pruimenmond van ontstemming.

'Weet je dat Digna op het punt stond zonder ontbijt naar school te gaan?'

Sera voelde dat zij een kleur kreeg. 'Jawel. Zij wilde niet eten.'

'Zij heeft hier bij ons drie broodjes en een kop chocola gehad.'

'O goed, gelukkig.'

'Je vat het makkelijk op.'

'Ik kan haar niet dwingen. Zij heeft van die buien tegenwoordig, dat is haar leeftijd. Ik geloof niet dat het goed is haar dan achterna te rijden.'

'Wat een uitdrukking,' zei Doornstam. 'Is dat nu jullie moderne taalgebruik?'

Zijn vrouw maakte een ongeduldige handbeweging. 'Het lijkt mij anders niet zo moeilijk om Digna te begrijpen. Het kind heeft behoefte aan orde en regelmaat. Zij wil aan een goed gedekte tafel zitten. Alles moet verzorgd zijn. Zij heeft smaak, aangeboren stijlgevoel. Dat jij dat niet ziet. Bij jullie gaat alles maar lukraak. Nu ja, je besteedt er geen aandacht aan. Eten in de keuken, pannen op tafel, en al die matjes, en kommen van plastic... en dat bevroren voedsel, en dingen uit flessen en blikken. Het heeft geen sfeer, en het kan niet gezond zijn.'

Sera schudde haar hoofd en haalde vaag glimlachend haar schouders op. Alle gesprekken met haar schoonmoeder liepen vroeg of laat uit op de tafel, de 'goede manieren', de representatie.

'Het is praktisch. Ik heb geen hulp. Wij zitten nooit lang aan tafel en wij eten niet veel, maar wij kienen het wel goed uit.'

Doornstam trok zijn wenkbrauwen op. 'Inderdaad, men rijdt iemand niet achterna met goed uitgekiend... wel, eh... voer.'

'Leonard en jij, jullie leven als arbeiders. Ik bedoel daar niets hatelijks mee tegenover die mensen, die weten niet beter, al dat moderne is voor hén vooruitgang. Leonard is altijd een zonderlinge jongen geweest, maar ik dacht toch... enfin. Jij als vrouw en moeder... ik zeg niet dat je niet van goeden wil bent, maar de finishing touch ontbreekt.'

Sera nam een van de kleine zilveren koeien op en zette die vóór zich neer, met de voorpoten op een messenlegger.

'U moet maar denken, ik weet ook niet beter, ik kom tenslotte uit een artistieke flodderboel.'

'Wat zouden jullie ervan zeggen wanneer we eens hiernaast gingen zitten,' zei Doornstam op geforceerd luchtige toon, 'à propos, wat is dat, een circusvoorstelling?' Hij nam het koetje terug en plaatste het bij de kudde op het ovale plateau van spiegelglas.

'Jij ontwijkt altijd alle moeilijkheden,' zei zijn vrouw. Zij stond op, haar mond een smalle streep van minachting. 'Jij ergert je net als ik, maar je wilt er niet bij zijn wanneer de waarheid eens gezegd wordt. Iemand moet er toch over praten. En dat ben ik altijd. Als het jou maar bespaard blijft.'

Hij trok de stoel voor haar achteruit, zij liep driftig schouderophalend langs hem heen.

In de zitkamer werd het gesprek voortgezet. Het daglicht drong binnen via de serre, er bleef altijd schemer tussen de grote donkere meubels. Het was koud, al knetterde er vuur in de haard. Doornstam leunde tegen de schoorsteenmantel. Sera zag zijn profiel in het verweerde glas van de spiegel. Hij wreef zijn bleke handen. De oude vrouw was zo gaan zitten dat zij kon kijken naar de potten met witte en roze cyclamen in de serre.

'Het was heel onaardig van je, Sera, om dat te zeggen daarnet.'

'Van die artistieke flodderboel? Maar dat is zo, mama.'

'Ik hoop dat je over dergelijke dingen niet praat waar je kinderen bij zijn. Het is onbegrijpelijk dat jij...'

'Maar ik bén immers niet volwaardig in uw ogen.'

Doornstam hief het hoofd op, maar zijn vrouw was hem voor.

'Belachelijk. Je gedraagt je belachelijk. Je moest je schamen. Heb je ooit zoiets uit onze mond gehoord?'

'Dat niet, maar u denkt het wel. U hébt het gedacht.'

'Belachelijk,' herhaalde de oude vrouw, nerveus schouderschokkend onder de plooien van haar sjaal.

'Ik herinner me...' begon Sera, maar zij zweeg. Het heeft geen zin, dacht zij. Zij zijn het allemaal vergeten. In deze kamer hier zat mijn vader te wachten, aan de vleugel, alleen, tot Leonard uit school kwam. Vader was altijd op tijd, Leonard vaak te laat. Wij thuis waren woedend omdat hij zich zo moest haasten.

De les begint om half vijf, zei vader, ik ben er om half vijf. De theemiddagen bij mevrouw, bij mama. Haar diners, met de zilveren kudde op tafel, de kaarsen en bloemen. Vader besteld om tussen twee kopjes thee of bij de koffie na het dessert een sonate van Beethoven of een nocturne van Chopin te spelen. Na afloop gaf zij hem dan een enveloppe, met een doos chocola erbij voor Mizet en mij, heel fijnzinnig. Haar vervloekte minzaamheid. Zij zag hem eigenlijk niet, hij bestond niet voor haar, niet als mens, al zat zij met haar ogen dicht van verrukking wanneer hij speelde. Wat hebben papa en mama ooit geweten van ons leven thuis, de rotzooi en de vrolijkheid, dat wij vaak dagenlang alleen brood aten, maar biefstuk en appeltaart als vader lesgeld gekregen had, dat wij wel eens tot in de nacht met vader door de stad liepen om moeder te zoeken wanneer zij weg was, dat wij ons verkleedden en opera's opvoerden op zaterdagavond, in moeders goede tijden. Bij ons bleef niets verborgen, je kreeg het allemaal onmiddellijk, onverdund.

In gedachten zag zij de twee kamers en suite, met stapels boeken en muziek overal, op de piano en de stoelen, op de vloer langs de muur en onder de divan. In de kasten een chaos van niet opgevouwen linnengoed, lapjes en dozen en tienduizend andere losse dingen die nergens voor dienden maar waar niemand afstand van wilde doen. De vuile kopjes van gisteren en eergisteren op de schoorsteenmantel en de vensterbank, vazen met verwelkte bloemen, een dode vergeten plant in een hoek, de bronzen engel met geheven armen en spitse vleugels die als kapstok werd gebruikt, en een waas van stof overal, op de lampenkap en de verschoten gordijnen, en de krantenknipsels met spelden op het behang geprikt, alles onverzorgd en rommelig en diep vertrouwd, de ruimte waar zij werkten en aten en speelden. Als haar vader een leerling kreeg, gingen de schuifdeuren dicht, nadat haastig de ergste ongerechtigheden waren opgeruimd. Had haar moeder een inzinking, dan deed haar vader dat zelf, vlug en precies, zoals hij alles deed. Soms, als Mizet en Sera uit school kwamen, roken zij op de trap al de verraderlijke dranklucht. Herkenden de leskinderen die niet? Terwijl achter de dichte deuren gedempt de toonladders klonken, van tijd tot tijd onderbroken door de stem van hun vader (dan speelde hij zelf voor hoe het moest, driftig ruisten de loopjes en akkoorden), slopen de twee meisjes naar de bovenverdieping. *Zij* lag daar op bed, in de donker gemaakte slaapkamer, haar zwarte haar warrig boven de lakens uit. Zacht snurken getuigde van haar volkomen onbereikbaarheid. Had zij haar goede dagen (niet de stemmingen van onverschilligheid of prikkelbaarheid die aan het drinken voorafgingen), dan was zij heel teder en stil en toegeeflijk, zij glimlachte verlegen en streelde hen schuw over de haren als zij dicht bij haar kwamen. Eens zag Sera door een kier van de deur hoe haar moeder met diep gebogen hoofd de hand van haar vader nam en die kuste.

Koba diende bezoek aan voor mevrouw Doornstam.

'Mijn God, ik vlucht,' zei Doornstam. Hij nam zijn schoondochter bij de elleboog, blij dat een pijnlijk moment door ingrijpen van buitenaf nog juist bezworen was. Een dergelijk klein vertrouwelijk gebaar leek hem nu zinvol. 'Ga nog even mee naar mijn studeerkamer. Eindelijk heb ik die "Duiker" van je kunnen uitlezen. Er zijn trouwens nog andere dingen die ik met je zou willen bespreken.'

Doornstam hield het dunne boekje rechtop, tikte met de nagel van zijn wijsvinger tegen de kaft.

'Dient het werkelijk ergens toe? Heeft de wereld gedichten en dichters nodig? Mijn God, de hoogmoed van wat zich gewoonlijk poëet belieft te noemen. In negenennegentig van de honderd gevallen is dichterschap een kwestie van hormonen, een tijdelijke uitbarsting, als de puberteit... het valt ook meestal samen. Bij mannen, let wel. Een dichtende vrouw is onbevredigd, dat gaat altijd op. Goed, het kan een tamelijk onschuldige tijdpassering zijn en tot esthetisch verantwoorde resultaten leiden. Maar ik vind niets zo pijnlijk als een mán die met alle geweld zijn dichterschap wil prolongeren...'

Hij hoestte driftig en stak zijn hand uit naar het kistje met kristallen flacons dat altijd op een tafeltje naast zijn bureau stond.

'Drink je een glas mee?' Zijn vingers trilden even, terwijl hij de stop van een der karaffen nam. 'Je vindt het zeker nog te vroeg?' Hij keek haar niet aan, zijn blik bleef gericht op de donkere straal port. Hij daagt mij uit, dacht Sera, als ik zeg dat ik niet wil denkt hij dat ik hem kritiseer. Maar eigenlijk wil ik wel, en dat weet hij ook.

'Graag, papa.'

Hij schonk in en schoof haar het glas toe.

'Wat betreft "De duiker"... een dergelijk thema heeft Conrad Ferdinand Meyer eens behandeld in een sonnet... ik herinner mij een paar regels...'

Hij hief zijn glas, keek een ogenblik naar het fonkelende donkerrood, en dronk toen, aandachtig, langzaam, zich de lippen aflikkend. Sera vond dat hij zo op een slang leek, een oude listige slang. Zij keek hem strak aan, diep belangstellend maar tevens op haar hoede. De geur van de port steeg op uit het glas in haar hand.

'Was machte mich zum Fisch?' reciteerde Doornstam, de ogen half dichtgeknepen; hij gaf met handgebaren het ritme aan van de regels waarvan hij de woorden niet meer wist. 'Tatam, tatam... tatam, tatam... "Vermehrte Menschenkenntnis, mein Wanderdrang und meine Farbenlust. Die Furcht verlernt' ich über Todestiefen, fast bis zum Frieren kühlt' ich mir die Brust. Ich bleib' ein Fisch, und meine Haare triefen!" Als ik mij niet vergis gaat dat vers over de befaamde middeleeuwse sponzen- en koralenduiker uit Palermo ten tijde van de Hohenstaufen...'

Sera glimlachte herkennend. 'Nicola Pesce?'

'Juist, ik zocht de naam. Nicola Pesce. Er is over hem geschreven door Athanasius Kirchner, in de zeventiende eeuw. Pesce bracht zwemmend brieven over van Sicilië naar Calabrië wanneer de zee te ruw was voor schepen, wist je dat? Hij dook ook op koninklijk bevel de Charybdis in, Schillers gedicht "Der Taucher" zou op hem geïnspireerd zijn.' Verlegenheid beving Sera, als gewoonlijk wanneer haar schoonvader zo nadrukkelijk zijn kennis luchtte. Zij vermoedde dat hij gedreven werd door een tweeslachtig gevoel, mengsel van ijdelheid en heimelijke minachting voor kunst, een haat-liefde die vooral hemzelf gold.

'Goed, daar hebben we dus de watermens, de duiker uit jouw cyclus verzen. Je hebt noch Schillers verhalende gedicht, noch Meyers sonnet uit mijn gedachten kunnen verdringen. Noem het ene ouderwets-romantisch, het andere berijmde mystiek, als je wilt.' Hij schonk zich een tweede glas in. 'Allebei dichters uit perioden toen men zich als volwassene nog dergelijke nobele huisvlijt kon veroorloven. Je moet het mij maar vergeven, ik ben een oude man. Ik heb die roes zelf gekend, ik sta er zeer sceptisch tegenover.'

Met gesloten ogen dronk hij van zijn port. Hij liegt, dacht Sera. Hij wil dat ik hem tegenspreek, dat ik zijn verzen van vroeger prijs. Hij vindt ze zelf ook mooi, nog altijd. Zij bleef zwijgen. Hij opende zijn ogen en wierp haar een snelle blik toe.

'Wat een verrukkelijke port, papa,' zei zij, terwijl zij het lege glas neerzette. Hij bood haar geen tweede aan.

'Kom,' vervolgde hij, 'leg het me uit. Wat heb je er eigenlijk mee willen zeggen? De duiker, symbool van de ambivalente mens, heet dat niet zo, een modewoord voor een modeverschijnsel? Was dat ook je bedoeling, die zogenaamde geest van onze tijd uit te beelden?'

Hij sprak die woorden met stemverheffing, op ironische toon, alsof zij uit louter hoofdletters bestonden. 'Nogmaals, vergeef me kind, ik ben twee generaties bij je ten achter.'

'Zoiets kunt u er wel in lezen,' zei Sera. Zij verkeerde in twijfel of zij zou weglopen of een stil tweegevecht met hem aangaan.

'Zo, en geloof je daar werkelijk in?' Doornstam lachte kortaf, het lachje dat zij onaangenaam vond – niet omdat het onaangename erin tegen háár gericht was, maar omdat het zoveel verried van zijn heimelijke zelfverachting: het was de grimas van iemand die weet dat hij elk ogenblik betrapt kan worden op inconsequenties en daarom bij voorbaat een en ander in het vlak van wrange scepsis trekt.

'Ik heb het in "De duiker" niet in de eerste plaats over "de" mens of de "moderne" mens, maar over mezelf.' Zij keek naar buiten terwijl zij sprak. Er was juist een schuit voorbijgevaren, het water in de gracht deinde in vlekken groen en loodgrijs, meeuwen scheerden schreeuwend langs het raam. 'Ik weet niet in hoeverre ik representatief ben voor anderen, voor allen. Daar heb ik niet aan gedacht toen ik schreef.'

'Goed, goed,' zei Doornstam ongeduldig. 'Wat zie je dan als het ambivalente in jezelf?'

'Ook wie zo goed kan duiken en zwemmen dat ze hem vismens noemen, hoeft de zee nog niet als zijn element te beschouwen,' begon zij, maar zij slikte de rest van haar betoog in. Geen beeldspraak, geen raadsels, dacht zij geërgerd, het is al moeilijk genoeg, het is zelfs onmogelijk uit te leggen. Weer klonk het getinkel van kristal in de schemerige hoek naast de schrijftafel. In een opwelling van verzet waagde zij toch nog een poging: 'De diepte is onbekend en onberekenbaar. Altijd opnieuw afdalen, omdat je móét. Dat geldt voor de duiker naar koraal en sponzen, dat geldt voor mij. Charybdis is hier,' zei zij plotseling heftig, terwijl zij haar gebalde vuist tegen haar borst drukte.

'Pathos!' zei Doornstam met trage stem, vanuit de lichte portroes die deze dag nu draaglijk voor hem begon te maken. 'Ik ken dat! Je bedoelt niet de mens of zomaar jezelf, je bedoelt de kunstenaar. Natuurlijk bedoel je dat. De zee, symbool van het gevaarlijke onbewuste, de dichter, uitverkoren om duiker te zijn. Verleidelijke gedachten, belachelijke hoogmoed. Zal ik je eens iets vertellen: ik heb op een gegeven ogenblik geweigerd mijzelf langer te bedriegen, mooi klinkende uitvluchten te bedenken voor mijn onmaatschappelijke neigingen, mijn zucht naar avontuur, die verhoogde klierafscheiding die bij een bepaalde leeftijd hoort... kortom, de normale krankzinnigheid van de adolescent. Zo zie ik het. Een mens die na zijn dertigste jaar nog werkelijk waarde hecht aan dergelijke dingen, ze au sérieux neemt... is volgens mij geestelijk gestoord of in ontwikkeling achtergebleven, op zijn zachtst gezegd niet uitgebalanceerd. Ik ben eroverheen gekomen, goddank, de problemen van het juridische taalgebruik hebben al mijn behoeften op dat punt volkomen kunnen bevredigen.'

Sera richtte haar blik van de arabesken op het vloerkleed naar het netwerk van kale takken buiten de ramen.

'Ik maak jou geen verwijten,' zei haar schoonvader. 'Het bevreemdt me trouwens ook niet, om heel eerlijk te zijn. Misschien heb jij dit wel nodig.'

'Wat bedoelt u?' Nu keek zij wel naar hem, hij zag het, zij was op haar hoede maar ook gretig. Dit was het ogenblik om het onderwerp ter sprake te brengen waarover hij het met haar wilde hebben, Leonard, de afwezigheid in zijn zoon van bepaalde eigenschappen die hijzelf onmisbaar achtte voor maatschappelijke ontplooiing. In zijn rozigheid was hij geneigd tot consideratie, medelijden zelfs, met zijn schoondochter. Zij was wel een aardige meid, zij had het niet makkelijk. Hij hoestte even achter zijn hand. Dat geluid brak de spanning. Hij kon het niet doen. Hij zou dingen moeten aanroeren waar hij geen woorden voor had, die hij niet begreep.

'Ik geloof dat u zichzelf onrecht doet,' zei Sera. 'U hebt mooie gedichten geschreven. "Afscheid in het bos" en "Stuifzand van de maan" bijvoorbeeld, die vond ik altijd meesterlijk.'

Zij zag hem licht huiveren van weerzin om dat woord. Hij schoof het boekje weg en begon verstrooid kuchend tussen de papieren op zijn schrijftafel te zoeken. Hij besefte dat hij tekortgeschoten was. Hij had geen woord gezegd van wat hij met haar had willen bespreken. De naam Leonard was niet over zijn lippen gekomen. Een gesprek was zinloos: zijn eigen onmacht iets te veranderen, en dan Sera's in laatste instantie toch onberekenbare vrouwelijke natuur... hij schudde zijn hoofd en maakte een wegwerpend handgebaar. Sera stond op.

'Ja, je zult nog wel het een en ander te doen hebben,' zei Doornstam, zonder haar aan te kijken. Hij hoorde hoe zij zacht de deur achter zich sloot. Troebele wateren werden gedurende een ogenblik helder, hij boog zich over wat op de bodem van zijn leven verzonken lag.

De zwartomrande brief die met de ochtendpost gekomen was, had Doornstam na lezing snel in een la van zijn schrijftafel verborgen. Niemand raakte vóór hem de post aan, al wist zijn vrouw, die gewoonlijk het eerst de ontbijtkamer betrad, precies wat er lag. Die morgen was híj nummer een geweest, in verband met het neerstorten van de meermin. Hij had de onheilstijding gekregen tegelijk met zijn scheerwater, en zich gehaast om de brokstukken in ogenschouw te kunnen nemen voor ze werden opgeruimd. Eigenhandig had hij de brieven en kranten aangepakt van de juist passerende postbode. Hij was ermee naar zijn studeerkamer gegaan, terwijl de oude meid, verward door al het ongewone, eerst het gruis tot een hoop veegde en het toen op de stoep liet liggen om halsoverkop thee te zetten en de tafel te dekken.

Doornstam had de rouwbrief onbevangen geopend, hij kende het handschrift op de enveloppe niet, dacht even vluchtig aan de mogelijkheid dat een vroegere employé... het papier was goedkoop, glimmend, het zwarte randje uiterst smal... Maar nee: een begrafenisonderneming deelde in onpersoonlijke termen mee dat de heer D. B. Spiedes, directeur van het Informatie- en Bemiddelingsbureau Discreet, plotseling overleden en inmiddels in alle stilte ter aarde besteld was.

'God!' zei Doornstam hardop. Hij nam een schone, nog opgevouwen en naar lavendel geurende zakdoek uit zijn zak en veegde daarmee over zijn mond. 'Riep u, meneer?' vroeg Koba vanuit de eetkamer. Door de open tussendeur zag hij haar staan, een vrijwel vierkante gestalte in ouderwets blauw-en-wit katoen (gebloemde schorten duldde hij niet in zijn omgeving), het grijzende haar aan weerskanten van haar dik oud kindergezicht met schuifspeldjes weggestoken. Zij hield haar voeten nog in geruite pantoffels met pompons op de neuzen (leert zij het dan nooit, nu goed, zij wordt oud, zij heeft last van opgezette enkels), wat naar binnen gekeerd, en wachtte met neergeslagen ogen en in gespannen luisteren gefronst voorhoofd op antwoord. Onwillekeurig legde hij zijn hand op de rouwbrief.

'Nee, niets, Koba,' zei hij. Zij slofte weg, liet tot zijn ergernis de deur naar de gang weer openstaan. Aan die vergeetachtigheid met betrekking tot deuren sluiten, aan dat mengsel van hulpeloosheid en domheid en goedbedoeld eigengereid optreden, had hij het eerste bezoek van Spiedes te danken gehad, een jaar of vier, vijf geleden. Zij had een visitekaartje voor hem neergelegd, toen. 'Ik heb die meneer eigenlijk al binnengelaten,' bekende zij, stug uit verlegenheid en schuldgevoel. Ontstemd bekeek hij het stukje papier. 'Bureau Discreet, Informaties, Bemiddeling,' las hij halfluid. Door de – ook toen natuurlijk opengelaten – deur van de eetkamer zag hij in de verte in de gang een klein mannetje op zijn tenen naar de kapstok reiken.

'In vredesnaam, hij is toch al binnen. Ik ben thuis.'

'Spiedes is mijn naam,' zei het mannetje, dat zonder een zweem van schroom of geïmponeerdheid binnenkwam. Zonder op te staan vanachter zijn bureau drukte Doornstam vluchtig de hem toegestoken hand.

'U wenst?'

De ander legde het gebaar, dat Doornstam opzettelijk zo vaag mogelijk hield, uit als een uitnodiging om te gaan zitten.

'Ik ben maar zo vrij, meneer Doornstam, het praat makkelijker. En ik heb nogal wat op mijn hart.' Hij ontblootte lachend een rij kleine glanzende gelige tanden. Doornstam ergerde zich, maar voelde zich ook enigszins onbehagelijk door dat vertoon van zekerheid. Hij wees naar een kistje met sigaren op een tafeltje vlak bij de bezoeker.

'O, kijk eens aan, graag meneer,' zei Spiedes kwiek.

Doornstam trommelde met zijn vingertoppen op het vloeiblad, terwijl tegenover hem een sigaar gekozen, beroken, snel en deskundig van het puntje ontdaan en aangestoken werd. 'Ik ben nogal bezet vanmorgen,' zei hij effen, zijn blik gericht op de boomtakken buiten.

'Vanzelf, vanzelf.' Spiedes maakte royaal toegeeflijke gebaren, snoof met welbehagen de rook op. Zijn lichtblauwe ogen achter dikke brillenglazen keken snel de kamer rond. 'Ik heb een informatiebureau. Particulier detectivewerk, bemiddeling...'

'Dat weet ik, dat heb ik op uw kaartje kunnen lezen.'

'Ik zal het zo kort mogelijk maken. Het gaat om een cliënt van mij, een zekere Deemster, Louis Deemster...'

Het was heel stil in de kamer. Doornstam wist dat de ander scherp op hem lette. Iets in hem stond nu als het ware ter zijde, lucide, kalm, en regisseerde het Zelf achter het bureau, het Zelf met bonzend hart. Niet bewegen nu, niet spreken nu, vooral de blik in bedwang houden, niet de ogen sluiten of ergens anders heen kijken. Met voldoening merkte hij hoe schijnbaar onaangedaan hij daar zat, achterovergeleund in zijn stoel, de handen losjes gevouwen over een pennenmes.

'Juist,' zei hij effen. Er vloog een zweem van een waarderende glimlach over Spiedes' gezicht. Hij stulpte zijn bleke lippen om de sigaar en zoog wellustig voor hij weer begon te spreken.

'Ziet u, meneer Doornstam, die... die persoon die ik bedoel zit in moeilijkheden. Financieel gesproken dan. Hij is vlak na de oorlog een paar jaar geïnterneerd geweest... vanwege de zuivering... enfin, dat weet u wel. Hij kon niet aan de slag komen, heeft helemaal opnieuw moeten beginnen, veel pech gehad. Nou ja, u begrijpt hoe dat gegaan is. Nu kan hij een zaak in sanitair overnemen... een drukke buurt, vooruitzichten, zal ik maar zeggen. Maar hij heeft geen kapitaal.'

'Juist,' zei Doornstam nog eens, ditmaal zacht maar zeer beslist, om de woordenstroom van de ander af te remmen. 'Juist.'

'U begrijpt...'

Doornstam hief zijn hand op. 'Ik begrijp u volkomen.'

Spiedes rookte rustig verder, met neergeslagen ogen. Hij had de tijd en wist dit voelbaar te maken. Dodelijke vermoeidheid bekroop Doornstam. Hij kwam niet aan tegenstand toe, hij wilde zich niet eens verzetten. 'Er is mij veel aan gelegen dat... Ik wens onder geen beding persoonlijk contact. Nooit, begrijpt u me goed.'

'Ik begrijp het, zeer zeker,' zei Spiedes. 'Maar ja...'

'Daar moet redelijk over te praten zijn.'

'Met Deemster?' Spiedes haalde suggestief twijfelend zijn schouders op.

'Nee, meneer, met u.'

De directeur van het Bureau Discreet antwoordde niet, maar fronste zijn wenkbrauwen en plukte bedachtzaam met duim en wijsvinger een schilfertje tabak van zijn lip. Doornstam wist dit zwijgen juist te interpreteren. Het bieden en loven kon beginnen. Zonder de man tegenover zich aan te kijken, spelend met pennenmes en presse-papier, ontvouwde hij bepaalde voorstellen. Uit de kwaliteit, men zou haast zeggen de klánk van de stilte, trok hij de conclusie dat zij niet onwelwillend werden aangehoord.

Nellie Deemster, bruine ogen in een misschien wel wat te bol bleek gezichtje met sproeten; een kroezende kuif van fijn goudachtig haar. Hij was het meest bekoord geweest door haar gang en houding, iets onbewust bevalligs en dartels in haar bewegingen, in de manier waarop zij, als zij staande aan het werk was, vanuit de heupen haar dunne middel boog en wendde. Hij had haar voor het eerst gezien in de naaikamer: zij stond bij de mangel en schroefde de draaistok aan. Grijs katoen spande strak om haar borst, de strik van haar schort zat als een vlinder in de holte van haar rug. Zij deed al haar werk vlug, krachtig en licht, bijna feestelijk. Zij liep verend op haar zwarte laarzen. Hij keek naar haar uit in huis, ging op voor hem ongebruikelijke tijden kamers binnen waar hij zelden of nooit kwam, in de hoop haar daar te vinden, terwijl zij voorovergebogen met beide armen een donzen dekbed opbolde, matten klopte uit een raam of op haar tenen reikte naar verborgen stofnesten met plumeau of ragebol. Zij was verlegen en zwijgzaam maar niet afwerend. Zij was zeventien, een jaar jonger dan hij. Zij lachte met neergeslagen ogen en een speelse zijwaartse ruk van het hoofd, een onuitgesproken 'Schei uit!' Een blos vloog over haar kleurloze wangen, om wat hij zei, om de twee of drie verzen die hij haar voorlas, om zijn haastige kussen bij haar mondhoek of in haar nek waar zacht nesthaar kroesde. Na zijn eindexamen ging hij in Leiden studeren. Hij woonde daar op kamers, kwam in zijn eerste jaar zelden thuis. Door publicaties in de studentenalmanak en ook al zo nu en dan een enkel vers in een tijdschrift, gold hij als een literaire belofte. Nellie zag hij alleen uit de verte, wanneer hij eens voor een halve dag of een paar uur bij zijn ouders was: een snelle lichte schim in gang of trappenhuis. Bij een verjaardagsdiner diende zij aan tafel. Haar bleekheid en blondheid werden op een voor hem plotseling schokkende manier geaccentueerd door het zwart van de nette japon die zij droeg. Zij leek volwassener, geheimzinniger. Hardnekkig ontweek zij zijn blik. Het drinken gewend, dronk hij die avond veel. Hij ging niet naar bed, maar wachtte tot het stil was in huis. Toen klom hij zacht, met drie treden tegelijk, van de logeerverdieping de trap op naar zolder, waar Nellie alleen sliep, ver van de keukenmeid en de andere dienstbode beneden in het souterrain. Later hield hij zichzelf voor dat hij haar niet verleid, niet tegen haar zin genomen had. Zij had zijn liefkozingen beantwoord met onvermoede directheid en heftigheid; zij was onervaren, maar niet onwetend, preuts noch koket, maar ook niet grof. Haar liefde was als zijzelf, zonder veel woorden, eenvoudig, en van natuurlijke gratie. Tegen de ochtend had zij wel even gehuild, maar niet van schaamte of spijt. De tranen liepen warm over haar wangen, maar zij bleef koppig haar hoofd schudden bij zijn vragen. Toen hij terugsloop naar zijn eigen kamer, was hij ervan overtuigd geweest dat wat hij voor Nellie Deemster voelde méér was dan een bevlieging. Het probleem dat die ontdekking met zich meebracht, schoof hij voorlopig van zich af. Hij kwam nu vaak thuis. Niemand vermoedde iets. Het werd zomer. Als Nellie een vrije zondag had, gingen zij soms samen naar buiten, roeien op een plas, de bossen in. Zij verlieten ieder afzonderlijk het huis, Nellie door de ingang voor personeel en leveranciers onder de stoep, hij door de voordeur, en ontmoetten elkaar ergens in de stad of bij het station. In augustus trokken zijn ouders als gewoonlijk naar Gelderland. Hij zei dat hij met het oog op naderende examens thuis wilde blijven. De nachten waren warm. Door de wijdopen zolderramen zagen zij een hemel van fonkelend zwart. Hij schreef toen ook weer verzen, bewuster, met meer raffinement. Nellie was niet meer onderwerp, maar aanleiding. Bij haar was hij werkelijk man geworden, door haar bereikte hij de vrouw, de wereld. Het gebeurde steeds vaker dat hij naast haar droomde van wat verder weg, onbekend was, het buitenland, avontuur, andere, meer verfijnde en gecompliceerde liefdes. Hij was te zeer burger, gebonden aan zijn milieu, van nature ook te zeer gesteld op orde en zekerheid, om niet te weten dat voor hem een dergelijke periode van vrijheid, van zich uitleven, maar kort zou kunnen duren. Dat besef maakte hem rusteloos. In de herfst verschenen zijn verzen in een letterkundig tijdschrift, kort daarna werden ze gebundeld. De kritiek noemde hem de ontdekking van de laatste jaren, uniek mengsel van patriciër en bohémien; men sprak van romantische drift, door eruditie tot schoon evenwicht bedwongen. Omdat hij nu in snel tempo zijn examens aflegde, stond zijn vader hem een jaar vrije studie toe, naar keuze in Oxford of Parijs. Hij koos de Sorbonne.

'Eigenlijk moest ik je meenemen,' zei hij tegen Nellie. Hij wist zelf dat hij het niet meende, dat hij zijn scherts een accent van tederheid gaf uit heimelijk schuldgevoel. Zij waren met de Gooise stoomtram naar het café Jan Tabak aan de grote weg gereden en hadden in het bos gewandeld. Het was in het begin van mei, met veel bloesem maar een gure wind. Nellie zag er wat verkleumd uit, in een mantelkostuum dat haar niet stond omdat het de gratie van haar middel en heupen verdoezelde. Wanneer zij het koud had, werd haar gezicht vlekkerig. Het leek van steen onder de lelijke hoed waar zij zelf heel trots op was. Zij huilde niet, zij hulde zich in koppig hulpeloos zwijgen. Die verstarring verontrustte hem, misschien drong hij daarom niet verder aan. Hij had het nooit willen weten, niet toen hij in Parijs was, en niet later, na haar dood. Wanneer zijn verbeeldingskracht hem ertoe dreef zich bezig te houden met wat er in Nellie Deemster omgegaan moest zijn tijdens haar zwangerschap, verdrong hij die gedachten onmiddellijk. Misschien is het juister te zeggen dat hij zich geen voorstelling kon maken van haar toestand. Hij had nooit een andere Nellie gekend dan het dienstmeisje in het huis van zijn ouders, een Nellie om mee te slapen en te wandelen, een warm lichaam, lief gezelschap. Wat Nellie was buiten zijn gezichtskring, daar had hij zich nooit in verdiept. Hij wist dat zij uit een groot gezin kwam; haar vader was korporaal geweest, maar na ziekte afgekeurd en werkte nu bij een stalhouder, haar moeder ging uit naaien. Nellie was de derde thuis, de enige dochter. Zij woonden in een smalle straat tussen twee grachten niet ver van het Haarlemmerplein. Hij had Nellie eens op een avond naar huis gebracht, iets wat zij eigenlijk niet wilde. Hij was op een brug blijven staan, terwijl zij van hem wegholde langs het donker blinkende water. De vader had hij bij toeval een keer thuis in de gang van het souterrain gezien, een man met zijn pet in de hand, die Nellie kwam halen omdat haar moeder ziek lag.

Nellie viel spoorloos uit zijn leven. Ineens was zij er niet meer. Er werd niet over haar gesproken, niets en niemand herinnerde hem aan haar. Voor zijn vertrek naar Parijs had hij beloofd dat hij haar zou schrijven. Niet dat hij dit vergat, maar het woog minder zwaar bekeken vanuit een wereld van nieuwe ervaringen. Hoe kon hij weten hoe het haar te moede was? Háár omgeving bleef dezelfde, de verandering was in haar. Een klein visje sloeg met zijn staart diep in haar schoot. Zij holde trap op trap af, wanhopig stampend met haar zwartgelaarsde voeten, zij ranselde zo hard zij kon de matten en matrassen, zij rekte zich, met de ragebol in de hand, tot zij duizelend tegen de grond smakte. Zij smoorde de geluiden van het ochtendbraken in een handdoek, vluchtte kokhalzend tienmaal per dag voor de kooklucht in het souterrain. Wanneer zij alleen op haar zolderkamer zat, cirkelden haar gedachten altijd om dat ene punt. Zij probeerde zich te herinneren wat zij wel eens gehoord had van en over vrouwen bij haar in de buurt, meewarig en afkeurend gesis en gefluister op de trap, in de alkoof.

Na lang aarzelen ging zij naar een adres op de eilanden, een donkere achterkamer met uitzicht op de blinde muur van een pakhuis. De vrouw die haar helpen zou was klein en vaal, met brokkelige tanden. Zij stuurde haar kinderen de straat op en begon zwijgend de tafel te ontruimen. Zij spreidde er kranten overheen en nam uit een kast iets wat in een doek gerold was. Van tijd tot tijd opende zij de deur naar het portaal op een kier en luisterde. Zij zei niet veel, maar wat zij zei allemaal heel vlug, met de lage schorre stem van wie gewend is ten einde raad bevelen en scheldwoorden te schreeuwen. Het rook in de kamer naar oude lappen en urine. Nellie stond tijdens de voorbereidingen bij het raam en kneep haar ijskoude vochtige handen tot vuisten.

Toen de vrouw even in een zijkamertje verdween om een pan water op het fornuis te zetten (haar handen om de hengsels waren groot, hard, knobbelig) holde Nellie blindelings weg, over het nauwe portaal, langs de smalle steile trappen, voorbij aan de kleine kinderen die zoet op de stoep zaten en hun groezelige gezichten verwonderd naar haar ophieven.

Het huis was voor Sera een ademend, levend wezen met een eigen langzaam bestaan. De deuren en ramen lagen als monden en ogen in de muren. Van kelder tot zolder was er altijd nog een traag proces van slikken en herkauwen aan de gang, werden beelden van vroeger bestaan bewaard, dat – hoe? waarom? maar onmiskenbaar – nog aanwezig was, in de vage spiegelingen over de geel geworden marmeren tegels van de vestibule, in de geur van betimmering en oud damasten behang, in het licht dat binnenviel door de verticale rij van paarse ruitjes in haar schoonvaders studeerkamer, in het kraken van traptreden, in de ondefinieerbare gedemptheid van licht en geluid op de bovenverdiepingen. Er ritselde of vlaagde altijd iets, luchtig als snelle voetstappen.

Tussen de boomtakken door zag zij de keizerskroon op de kerktoren. Vogels vlogen heen en weer van de beuk in de achtertuin naar de vensterbank van haar keukenraam, waarop zij broodkruimels gestrooid had.

Terwijl zij bukte om een gemorst stukje op te rapen, viel het haar op hoe de vloer helde. Het huis verzakt, zei zij hardop. Hurkend liet zij een knikker van Casper rollen die zij in haar schortzak gevonden had. Het glazen bolletje won vaart en verdween in de verste hoek onder een kast. Op het portaal leunde zij even over de balustrade. De traptreden, met glimlichten in holten en bochten van het geverniste hout, vormden een harmonische spiraal naar omlaag. Ergens in de schemering en stilte was een gezicht verborgen dat zij niet kende. Soms had zij de neiging te vragen: wie ben je?

Beneden ging een deur open, zij hoorde even de stemmen van haar schoonouders.

'Maar waar moet je dan in hemelsnaam naartoe? Het is koud en winderig...'

'Ach laat me toch, ik neem wel een taxi.'

Sera liep de zoldertrap op. De kamer waar Leonard als jongen geslapen had, was nu door een schot in twee helften gedeeld. Aan de ene kant had Casper, aan de andere Dorit een eigen domein. Het was er koud. Sera trok haastig de dekens en lakens recht. Voorovergebogen liet zij uit gewoonte haar blik rusten op bepaalde kleurkrijtkrassen en punaisegaten in het behang achter de bedden. Weer, als zo vaak en bijna altijd op dezelfde manier, overviel haar het mateloos vreemde gevoel dat er geen tijd bestond, dat zij in een volstrekt onkenbaar heelal banen beschreef langs onveranderlijke punten. Altijd weer maakte zij hetzelfde bed op, de handeling van lakens gladstrijken, dekens instoppen, was een eeuwig nu en hier. Altijd dacht zij dan aan dezelfde dingen, had zij dezelfde associaties. Geluiden stegen op uit het huis en buiten van de gracht en uit de achtertuinen. Als het woei hoorde zij de dakpannen rammelen. 's Zomers bij mooi weer tripten de duiven langs het raam. Herinneringen wentelden snel door haar bewustzijn: gesprekken met Leonard, toen zij hier nog samen sliepen in de eerste tijd van hun huwelijk, en hun naast elkaar gebogen staan vrijwel op deze zelfde plek, meer dan twintig jaar geleden toen zij nog kinderen waren, over een stuk koraal uit de zee als een versteend kanten waaiertje op Leonards verzamelingentafel, en de zuigelingengeur van Digna, die zij hier had zitten wiegen; en bij het gevoel van dekenpluis aan haar vingers en de geur van rubberen vloerbedekking in haar neusgaten, zelfs plotseling een duidelijke gewaarwording van zwanger zijn, gelijkend op haar eigen vroegere ervaringen, maar toch ook volkomen verschillend, als betrof het de belevenis van een heel andere vrouw. Sera sloot haar ogen en drukte instinctief haar handen tegen haar buik. Meteen was zij in een maalstroom, haar hele leven tot dit ogenblik toe lag in haar als een vrucht, gevoed langs talloze onzichtbare kanalen vanuit haar dagelijkse werkelijkheid, al wat zij zag en hoorde en deed of gedaan had, al wat zij wist en nog niet kende, maar dat al duizendvoudig vertakt, als haarvaten, drong haar bestaan binnen. 'Wie ben je, wie ben je toch?'

Nellie dacht niet meer, zij was vanbinnen één verwarde massa tegenstrijdigheden. De toekomst opende zich voor haar als een zwart gat, zij werd als door een sterke wind al weggezogen naar de diepte, nooit kon zij meer terug. Zij wilde niet en zij wilde wel. Zij wist niet wat zij moest beginnen, het leven later – de tijd kromp, dag na dag viel weg – was onvoorstelbaar. Het kind lag in haar als een zware klomp, raadselachtig groeiend. Nellie hield haar armen stijf om haar lijf geslagen en wiegde heen en weer op de stoel naast de wastafel, de ogen blind gericht naar de lichte lucht boven de loofkroon van de beukenboom. Zij kon niet geloven dat het ooit een kind zou worden als de kinderen die zij kende, haar kleine broers, de zuigelingen van buurvrouwen: een kind in een karretje, met een wollen mutsje op, een speen in de mond, warm en zuur ruikend. Zij rilde, haar borsten deden pijn. Weer stofte en boende zij beneden energiek als in de eerste dagen van haar dienst, nauwkeurig, en met ontzag voor de mooie dingen, maar zonder de blijmoedigheid van vroeger. Zij wist wel dat het allemaal niet kon, dat het onmogelijk was. Wat in haar groeide mocht er niet zijn, er was geen plaats voor in de wereld, en daarom kon zij ook niet bestaan. Zij poetste de zilveren kudde van de eettafel, de minuscule koebelletjes tinkelden. Door een kier van de deur zag zij in de verte mevrouw in de serre zitten tussen de planten. Diep in haar hart twijfelde Nellie niet. Van jongs af was haar thuis het geloof in een vast bestel, een gegeven orde der dingen, ingeprent. Zonder opstandigheid, zonder hoop, schikte zij zich in haar lot.

Deemoedig verliet zij in de zesde maand van haar zwangerschap de dienst, trok weer in bij haar ouders en sleet daar driehoog-achter de dagen tot haar bevalling op een stoel naast het raam, dat uitzag op muren, dakplatten en waslijnen. Zij schilde aardappels, verstelde broeken en sokken, en breide, met de rug naar de anderen in de kamer gekeerd, soms aan een wollen mutsje. Naar buiten ging zij niet. Zij kon lang bij het raam staan om de mussen te voeren. Op de Keizersgracht waren er in de dakgoot altijd duiven geweest. Nu had zij een hekel aan duiven, met hun bolle glanzende borst, roofzuchtige snavels en dom paraderen. De mussen aten uit haar hand. Zij leken haveloos en brutaal, maar als zij naderbij hipten op twijgdunne pootjes vulden haar ogen zich met tranen om die tedere schepseltjes met waakzaam blinkend kraaloog.

Zij durfde niets te zeggen toen de weeën begonnen. De vroedvrouw kwam op tijd om het kind te verzorgen, te laat om Nellie van doodbloeden te redden. Dat er een kind was, hoorde Doornstam pas veel later, na de dood van zijn vader. Hij kwam toen ook te weten dat er al die jaren een toelage was uitgekeerd aan de pleegouders van de kleine Louis Deemster. Doornstam was innerlijk veel harder in die tijd, en allang geen dichter meer. Hij veroordeelde zichzelf koel en zonder omwegen, maar hij ondernam geen stappen om voortaan méér te doen voor deze zoon van hem dan het regelmatig betalen van school- en kostgeld. Toen de jongen zestien jaar was en zelf uit werken ging, staakte Doornstam de toelage. Vanuit de Deemster-hoek werd nooit geprotesteerd. Hij vroeg zich zelfs niet af of dat nu uit angst of trots of haat was, of alleen maar uit hulpeloze laksheid. Hij vergat het eenvoudig. Hij had een drukke advocatenpraktijk, een huiselijk en maatschappelijk leven dat hem geen tijd liet voor dergelijke bespiegelingen.

Als zo dikwijls wanneer zij in haar huis rondliep, werd Sera bekropen door het gevoel dat het wonen daar eigenlijk al voorbij was: zij allen, haar schoonouders, Leonard en zij, de kinderen waren aan de rand van de tijd gekomen, zij leefden in het huis als mensen die op het punt staan te vertrekken. Zij wachtten op een oproep, een signaal. Sera stond tussen de meubels en gebruiksvoorwerpen alsof die niet meer van haar waren, maar al opgeëist en prijsgegeven, al voorbestemd tot vernietiging en verval, tot een langzaam vergaan. Soms stond zij stil in een van de kamers met de gewaarwording dat dit weggaan al had plaatsgevonden, langgeleden. Zij keek dan om zich heen met de blik van iemand die na een tijd afwezig geweest te zijn nog even is teruggekomen. Alles staat nog op de oude plaatsen, zoals het werd achtergelaten, maar de dingen zijn buiten bereik: dood, of integendeel juist vervuld van een vreemd eigen leven. Achter de intacte bewoonde kamers van nu ontwaarde Sera de latere, in hun verregaande staat van verwaarlozing en verlatenheid. Door de gebroken ramen drong de klimop die de achtergevel bedekte naar binnen, in de kieren tussen hout en marmer groeiden zwammen op dunne steeltjes. Muizen en ratten huisden niet langer in holen onder de vloer of achter de betengeling, maar hadden hun nesten – dikke puilende zakken – in de zittingen van stoelen, in de plooien der gordijnen. Spinnenwebben hingen in de deuropeningen, tussen de meubelpoten, golfden omhoog bij iedere tochtvlaag. Regen woei binnen. De boeken sloegen groen uit, hun bladen plakten aan elkaar.

Met haar blik gevestigd op de boeken in het nu en hier – rijen, stapels banden in alle kleuren van de regenboog – moest zij plotseling denken aan iets wat in de kelder stond, een ding waarin het verval en de ontbinding zichtbaar, tastbaar geworden waren – en dat zij, misschien wel daarom?, vergeten was. Toen zij met Leonard trouwde, had zij een oude koffer vol kleinigheden van haar vroeger leven thuis en in de oorlogsjaren beneden in het berghok gezet. Eens bij ongewoon hoog water in de gracht, had de kelder blank gestaan. De koffer werd opgevist, een vormeloze weke klomp papier-maché. Omhulsel en inhoud waren tot één massa aaneengekoekt. Zij had het niet willen weggooien en er ook later nooit meer toe kunnen komen te kijken wat er nog te redden viel. Met tegenzin liep zij de trap af, bleef halverwege staan. Koba neuriede dof achter de gesloten keukendeur.

Het was ijskoud in het souterrain. Uit de kelderopening steeg een grondlucht op, het rook er ook naar aardappelen en gist, en muf naar het stro om de wijnflessen. De koffer, bultig, grijsgroen, stond op een rek achteraan vlak bij het rooster aan de tuinkant. De sloten waren verroest en onwrikbaar, maar het deksel liet zich gemakkelijk openscheuren. Er steeg een stank van schimmel en bederf op uit de onherkenbare koek, die uiteenbrokkelde en verschilferde zodra zij hem aanraakte. Met haar handen vol dorre klonters papier en stof, de resten van het onherroepelijk voorbije, dacht zij aan een droom die haar vaak plaagde. Leonard en zij en hun kinderen wandelden over een kerkhof, opeens zag zij hen niet meer. Tussen rijen zerken zocht zij hen dan, in wurgende angst. Kruisen staken schots en scheef uit de grond, oude graftomben lagen open, zwarte of grauw bestoven hagen en heesters onttrokken eindeloze nog onverkende wijken van de necropolis aan het oog. Op een bepaald moment waadde zij tot aan de enkels door een laag van wat zij eerst voor bladeren hield, maar dat iets anders bleek te zijn, brokken en klonters as, broze lugubere schilfers. Zij liet de rommel uit haar handen vallen, draaide zich om en keek, op haar tenen staande, door het getraliede kelderraam. Er was geen uitzicht dan op een stuk van de uitspringende keukenmuur, oude zwart geworden baksteen. Minuscule mosplantjes groeiden in de groeven. Was zij een wezen kleiner dan een mier, welke wereld zou die muur dan voor haar zijn? Eindeloze vlakten van zwart vulkanisch gesteente, hier en daar angstaanjagend roodachtig, alsof de poreuze bodem het bloed van een slachting had opgezogen; soms een oase van grijs droog ritselend geboomte.

Meneer Diem en zijn dochter, reizigers in cultuur. Met tassen vol muziek, partituren van trio's en kwartetten, koorpartijen, stapten zij in die derde herfst van de oorlog door lanen waar het kruidig rook naar rottend blad, paddestoelen en grond. In de al wat verwilderde tuinen der villa's bloeiden dahlia's en chrysanten, kruisspinnen schommelden er in hun webben tussen wingerd en klimop. Het werd kouder. Er was altijd wel hout genoeg voor een haardvuur, in de voor de repetities ontruimde kamers hing een stemming van feest. Het kinderlijke plezier van de villabewoners en hun buren in de huisconcerten deed Sera onwerkelijk aan. Dergelijke bijeenkomsten, gewijd aan de tijdloze schoonheid van Bach en Mozart en Vivaldi, golden als een vorm van verzet. Sera wist vaak niet of zij moest lachen of huilen wanneer zij het gezelschap in genietend luisteren verzonken zag op hun eiland van arcadische rust. In de stad had de oorlog een ander gezicht. Eens op de terugweg naar het station bleef haar vader staan. Hij sloot zijn ogen en schudde zijn hoofd. Het bloed trok weg uit zijn gezicht, dat grauwbleek werd. Sera liet haar muziektas vallen en sloeg haar armen om hem heen. 'Voel je je niet goed?' Hij zuchtte en zei, zonder zijn ogen te openen: 'Wat doen we hier eigenlijk?'

'Wanneer dit concert achter de rug is, houden wij ermee op.'

'Toe maar. Laten we verdergaan. Kom,' zei hij na een ogenblik.

Toch liep zij een paar weken later weer door de rottende natte bladerlaag onder de beuken van A., alleen ditmaal, op weg naar de eerste repetitie van een volgende uitvoering. Als assistente van haar vader was zij gewend geweest de meest uiteenlopende bezigheden te verrichten, van muziekbladen omslaan tot boodschappen doen, van koffie of thee serveren in de pauze tot meezingen in een koor. In haar kwaliteit van manusje-van-alles werd zij nu tot medewerking uitgenodigd: men wilde eenakters opvoeren, en zij had bij een vorige gelegenheid getoond in staat te zijn regieaanwijzingen te geven, uit oude lappen kostuums te fantaseren. De gastvrouw, een verdienstelijke violiste, zou de leiding van het muzikale deel van het programma (herhaling van reeds eerder door meneer Diem ingestudeerde stukken) voor haar rekening nemen.

'Wil je het werkelijk?' vroeg Sera's vader toen zij het verzoek uit A. met hem besprak. Hij lag ziek in bed, zijn lessen waren voor onbepaalde tijd afgezegd. Tegen zijn opgetrokken knieën rustte een plank, daarop was met punaises een blad muziekpapier geprikt. Langzaam en voorzichtig kopieerde hij zangpartijen voor een koor. Voor het eerst zag Sera duidelijk de bruine vlekken op de bleke huid van zijn hand.

'Ik krijg er vijftig gulden voor. Dit is de laatste keer!' zei zij luchtig. Op weg naar het huis van mevrouw Weerhof herhaalde zij die woorden tegen zichzelf.

Een man die zij niet kende deed de deur voor haar open. 'Hé, bent u dat nou, ik had me een volstrekt andere voorstelling van u gemaakt. Uw vader en u zijn plaatselijke beroemdheden geworden. Tot in het Gooi toe benijden ze ons om onze artistieke prestaties. U bent nog erg jong! Wel, wel.' Met welsprekende ironische gebaren hing hij haar oude mantel en haar muts aan de kapstok. Hij bleef naar haar staan kijken terwijl zij voor een spiegeltje haar halflange lichte haren kamde.

'Wel, wel,' herhaalde hij.

Zij hield niet van die toon, die blik van onbeschaamd keuren. Hij leek haar een agressieve charmeur, iemand die door al te zelfbewust optreden en groot vertoon van jovialiteit anderen trachtte te doen vergeten hoe lelijk hij eigenlijk was met zijn spitse sproetige gezicht en koperkleurige haar. Zonder glimlach keek zij hem aan. Zij merkte dat dit hem prikkelde tot nog opzettelijker spot. 'Gaat u mee naar binnen, u wordt met smart verwacht, al onze hoop is op u gevestigd. U moet leiding geven aan ons, provinciale dilettanten, die eens een keer in een andere huid willen kruipen... Pas op, struikel niet, er zijn daar een paar treden. Het gangraam is niet al te best verduisterd, ik durf niet méér licht te maken.' Hij was vlak achter haar, en greep haar elleboog als om haar voor vallen te behoeden. Voor zij de kamerdeur bereikt hadden, raakte hij met een opwaartse strelende beweging haar schouder aan. Haar eerste opwelling was zich los te trekken, maar zij bedacht zich en liet op geen enkele manier blijken dat zij zich van zijn aanraking bewust was. Toen zij de helder verlichte suite binnengingen, keek hij haar nieuwsgierig aan.

'Onze jeugdige regisseuse,' zei hij aankondigend. Mevrouw Weerhof, die met de leden van het strijkkwartet (hen kende Sera al van vorige gelegenheden) bij de vleugel had gestaan, kwam naar hen toe. Zij begroette Sera met vriendelijke woorden, maar haar ogen bleven koel.

'Wij moeten het laatste deel nog doornemen. Wilt u misschien eerst even helpen een paar sandwiches te maken voor straks, dan bent u een engel, mijn huisgenote is er al mee bezig.'

Met viool en strijkstok in de hand, het fluwelen kussentje onder de kin, wees zij de weg naar de keuken, waar een lang meisje bij het aanrecht de korst van een brood stond af te snijden. Zij had een kroontje van vlechten bovenop haar hoofd, kinderlijk wijdgeopende grijze ogen, een blos van opwinding kleurde haar hals en wangen. 'Dit is Doortje,' zei mevrouw Weerhof, wat nadrukkelijk nonchalant, voor zij weer verdween. Sera kreeg niet de tijd zich iets af te vragen; binnen tien minuten – zij waren nog maar juist bezig de op maat gesneden boterhammen te beleggen – had de andere, nerveus en snel sprekend, onvoorzichtig veel over zichzelf verteld: hier werd zij Doortje genoemd, alleen maar Doortje, in werkelijkheid heette zij anders, zij was tweeëntwintig, dochter van een arts, haar ouders woonden in Indië, zij studeerde Spaans, maar deed daar voorlopig niets aan, zij kon nu werken voor de goede zaak, dat ging vóór, zij zou doodgaan van ellende als zij tot machteloosheid gedoemd was, dit logeren bij Marcelle en dr. Weerhof beklemde haar eigenlijk al, maar dat moest wel, er waren bepaalde redenen waarom zij hier een tijdje als huisgenote...

Zij keek Sera aan met grote stralende ogen en praatte rad verder, terwijl haar handen naar verhouding merkwaardig traag en voorzichtig bezig bleven met het brood.

'Ik ben helemaal niet huishoudelijk aangelegd... messen vind ik altijd griezelig... ik zou nooit iemand met een mes kunnen neersteken, al was het mijn ergste vijand.' Zij begon zenuwachtig te lachen, en streek een streng losgeraakt steil haar achter haar oor. 'Ik heb al zoveel gehoord over jou en je vader en over de huisconcerten, enig dat het ditmaal hier is, nu kan ik het ook meemaken. Erik Mastland is erbij, zelfs híj doet mee...'

Sera wist wie het meisje bedoelde, al had hij zich niet voorgesteld toen hij haar binnenliet. Zij zei niets, maar Doortje had geen aanmoediging nodig. Terwijl de sandwiches op schotels werden gestapeld rondom een kern van aardappelsla, lichtte zij

Mastlands doopceel. Hij was econoom, gescheiden, woonde alleen in het huis naast dat van de Weerhofs. Onder het mom van vlotheid en nu ja, wel wat cynische onverschilligheid soms, toch een heel ernstige man, moedig ook, wat die niet allemaal durfde, bij wijze van spreken onder de neus van de Duitsers...

'Zou je daar wel over praten, je weet tenslotte niets van mij,' zei Sera afwerend toen Doortje in bijzonderheden trad. Maar de andere wuifde met een kort heftig gebaar alle bezwaren weg. 'Ach, iedereen kent elkaar hier, het is zo vertrouwd. En dat zie je toch dadelijk aan iemand... Hij komt heel vaak hier, tegenwoordig haast iedere dag,' vertelde zij verder, steeds met die gejaagde jubelende stemklank. Zij strooide snippers augurk over de aardappelsla. 'Hij voelt zich eenzaam, hij zit altijd maar alleen in dat lege huis, er is niemand die voor hem zorgt sinds zijn vrouw is weggegaan. Kijk nou, schitterend. Bedankt voor je hulp. Marcelle laat mij altijd zulke dingen doen, terwijl ik twee linkerhanden heb.'

'Ik heb meneer Mastland nog nooit op een huisconcert gezien,' zei Sera.

'O, hij is de laatste maanden veel weggeweest, als je begrijpt wat ik bedoel.' Er vloog een geëxalteerde glans over Doortjes gezicht. 'Wij zijn allemaal trots op hem! Als je eens wist!'

Binnen zweeg de muziek. Doortje ging voor, de schaal hooggeheven in beide handen. Zij bewoog haar lange benen als een marionet, in hoekige maar niet onsierlijke pasjes vol ingehouden vaart.

In de loop der weken – er werd veel gerepeteerd – viel het Sera op hoezeer Doortje de anderen ergerde, vooral Marcelle Weerhof en Mastland. Zij was een beschut opgegroeid, kinderlijk hartstochtelijk, kinderlijk egocentrisch wezen, bezeten van een wat troebel verlangen naar overgave, hetzij in liefde, hetzij in grote daden. Zij leefde in een voortdurende roes, in een hevige eigen wereld, die nergens de werkelijkheid raakte. Daarbij was zij tegelijk geremd en springerig als een veulen. Stilzitten kon zij niet, begon zij eenmaal te praten dan wist zij van geen ophouden. Zij was een paar jaar ouder dan Sera maar gedroeg zich als een veertienjarige in het stadium van beurtelings mokken en slappe lach. Weerhof kon haar goedig plagen met haar opgewonden buien, toonde zich ook wel bezorgd, stuurde haar eens met aspirine naar bed, toen zij na plagerijen van Mastland over haar onhandigheid bij het gezamenlijk decors maken in huilen was uitgebarsten. 'Je bent hard voor ons arme Doortje,' zei Marcelle Weerhof vaag glimlachend, terwijl haar man het nog huiverend nasnikkende meisje de kamer uit leidde.

'Zij is een volslagen hysterica.'

'Zo onbevangen en geestdriftig, zo'n keurig opgevoed idealistisch meisje... dat vond jij immers?' Er was een zweem van venijn in de lage beschaafde stem van de doktersvrouw.

'Je wilt me toch niet wijsmaken dat jij jaloers bent?'

Sera, die het dichtst bij hen stond, boog zich dieper over haar werk, het knutselen van een zetstukje dat een bloeiende struik zou moeten voorstellen. De schaar sneed knarsend door het karton.

'Attention,' zei Marcelle Weerhof zacht.

Die avond bracht Mastland Sera naar de trein. In de donkere lanen sloeg hij plotseling zijn arm om haar schouders. 'Ik zal je wel leiden, vertrouw je maar aan mij toe, er zijn hier veel kuilen...'

'Mijn tastzin is goed ontwikkeld,' zei Sera, terwijl zij onder zijn arm vandaan dook. Het begon te regenen, overal om hen heen klonk zacht ritselen en ruisen; de geur van rottend blad, een vage ontbindingslucht, werd sterker. Mastland lachte zacht.

'Waarom houd je je op een afstand? Jij bent om de drommel niet zo koel en ingetogen als je je voordoet.'

'Ik gedraag me niet anders dan ik me voel.'

'Je bedoelt dat je een hekel aan mij hebt.'

'Het is niet nodig dat u me aanhaalt.'

'Zeg alsjeblieft jij en jou, en Erik. Nee, nodig is het niet, maar het lijkt mij zo prettig. Jij bent veel te gereserveerd. Neem nu Doortje. Weet je wat dié doet als ik mijn arm om haar heen sla in het donker?' Sera wilde graag geloven dat hij blufte om indruk op haar te maken, maar terwijl zij naar hem luisterde begreep zij dat het waar was, eigenlijk wist zij het wel, zij had het uit Doortjes woorden en blikken al kunnen raden.

'Wat Doortje doet moet zij zelf weten, dat gaat mij niet aan.'

'Mij eigenlijk ook niet. Ik interesseer me meer voor jou.'

'Het spijt mij, maar ik voel er niet voor.'

Zij hoorde hem weer lachen, blijkbaar vermaakte het hem op zijn nummer gezet te worden. 'Jij kent jezelf niet. Heb je een vriend?'

Zij antwoordde niet. Zij had geen lust met iemand als Erik Mastland over Leonard te praten. Hoe moest zij uitleggen wat het was dat haar aan Leonard bond, ook al was het woord liefde toen tussen hen nog nooit uitgesproken?

Een van de repetities duurde tot zo laat in de avond dat Sera bij de Weerhofs moest blijven logeren. De kamer waarin zij zou slapen grensde aan die van Doortje. Terwijl zij in het donker de zwarte rolgordijnen liet zakken (aan de andere kant van de heg, bij Mastland, was een streepsmalle kier licht zichtbaar), kwam Doortje op blote voeten binnensluipen.

'Heb je haar gezien?'

'Wie?'

'Zij, Marcelle. Zij is naar hiernaast. Dokter moet bij een kraamvrouw blijven, nu durft ze wel. Zij is zo'n lady, zo'n fijn beschaafd mens, zou je denken als je haar ziet, maar Erik zegt dat zij zich aan hem opdringt, dat zij als een hond om liefkozingen bedelt. Ik haat haar, ik haat haar!' schreeuwde Doortje plotseling, terwijl zij met gebalde vuisten op de muur sloeg. 'Hij weet dat ik alles voor hem doe, ik zou me levend laten villen als ik hem daarmee helpen kon. Wat hij me maar gevraagd heeft, heb ik gedaan. De gevaarlijkste dingen... Je moest eens weten...'

Sera zocht op de tast de lichtknop. Zij drukte Doortje neer op een stoel. 'Pas toch op. Jij moet voorzichtiger zijn...'

Doortje lachte en huilde tegelijkertijd. Zij veegde de tranen weg uit haar grote schrille ogen en vouwde daarna met een stralend gezicht haar handen samen tegen haar borst. 'Als je eens wist waar ik allemaal bij betrokken geweest ben. En nog... Erik weet dat, hij vertrouwt mij. Er is hier een hele groep... Erik is erg belangrijk, maar hij krijgt zijn opdrachten weer van een ander. Die ken ik óók,' fluisterde zij, intens en zegevierend. 'Je denkt misschien dat ik opschep, maar ik verzeker je dat het waar is, en het gaat om echt grote dingen, sabotage bij treinen en fabrieken, overvallen op distributiekantoren...'

'Nee, Doortje,' zei Sera smekend.

'Ik verraad niemand! Ik bedoel alleen dat ik alles voor Erik zou doen, alles, en dat weet hij! Sera, luister! Ik heb iemand doodgeschoten!'

Sera trok Doortjes hoofd tegen zich aan, zodat de rest van haar woorden verloren ging in verward gemompel. 'Je bent gek,' zei zij. Doortje rukte zich los. 'Nee, het is waar. Geloof je me niet?'

Sera keek in die wijd opengesperde ogen. 'Heb je dit aan nog meer mensen verteld?'

'Alleen aan de Weerhofs. Toen het gebeurd was, toen ik het gedaan had... heeft iemand mij dit adres gegeven en mij hierheen gebracht. Ik dacht dat ik krankzinnig zou worden... ik had ook koorts. Ik weet niet precies meer wat ik gezegd heb. Zij waren erg aardig voor mij, vooral hij, dokter Weerhof. Maar toen zíj zag dat ik Erik Mastland kende en dat wij samen dingen wisten die zij niet wist is zij mij gaan haten...'

Doortjes gejaagde ademhaling was het enige geluid in het doodstille huis. Buiten bewoog geen blad, geen twijg.

'Ik geloof dat je hier niet blijven moet,' fluisterde Sera. 'Ga na de uitvoering volgende week met mij mee naar Amsterdam. Ik heb een vriend, die heeft geloof ik veel contacten. Misschien kan hij iets voor je doen.'

Sera liep langzaam over het trottoir. Leonards haastige vertrek naar kantoor, zijn zwijgzaamheid en teruggetrokkenheid van de afgelopen dagen zaten haar dwars. Vaak was hij zo, het hoorde bij hem, als zijn manier van bewegen en de klank van zijn stem, maar het maakte haar altijd opnieuw onzeker. Hij scheen zich kleiner en kleiner te maken, hij werd een speldenknop, een stip, en verdween dan in dat punt. Zijn uiterlijke gedaante was er nog wel, maar hijzelf bleek op een angstaanjagende wijze onbereikbaar geworden. Zij vermoedde dat hij problemen had in zijn werk, met mr. Hazekamp misschien of op andere gebieden die zij niet kende. Of was het anders, zat het dieper, wezen deze telkens terugkerende perioden van verwijdering, van afwezigheid van contact, op een breuk in het raakvlak van hun beider levens? Soms bekroop haar de angst dat dit inderdaad zo was, en dat zijzelf daar schuld aan droeg, zonder het te willen – maar niet ongeweten –, vanuit een noodlottig wezensverschil, op grond van een – wanneer en hoe? – gedachteloos begane fout. Wat verloor zij wanneer zij Leonard verloor: haar klankbodem, haar tegenvoeter, zichzelf? De Leonard die zij had lief gekregen was de bepalende factor in haar leven, een baken in de chaos. Zij had de neiging zich betrokken te voelen bij een steeds toenemende veelheid van verschijnselen, haar bewustzijn stroomde tomeloos alle richtingen uit. Leonard was haar spil, haar anker, als hij haar ontglipte werd zij een oeverloze zee.

In de gracht dreven sinaasappelschillen, plukken houtwol, een hondenmand, een halfvergane matras. Tussen de boomtakken door sijpelde fijne regen. Alles was bruin en grijs, met lijnen als getekend in Oost-Indische inkt, met vegen en vlekken als van verdoezelde houtskool. Zij keek binnen in gemoderniseerde souterrains van kantoren, waar onder neonbuizen meisjes achter hun schrijfmachines zaten. In het zuivelwinkeltje op de hoek stond een man met een dikke wollen das om en polsmofjes aan kaas te wegen. Een bestelwagen reed luid toeterend met twee wielen over de stoep om een handkar die de weg versperde te kunnen passeren. Bij het stoplicht in de verte slibden auto's en fietsen aan tot een compacte massa. Op het kruispunt van gracht en winkelstraat woei ijskoude wind om de hoeken. Sera sloeg rechts af langs de etalage met dure souvenirs van zilver en Delfts blauw, de korsetterie met een uitstalling van zwarte kant en roze en lila nylon, en de banketbakkerij met roomsoezen en gemberbroodjes en bonbons als eieren zo groot. Zoals gewoonlijk was het daarbinnen stampvol. Dames zaten op klapstoeltjes langs de muur voorovergebogen – om geen kruimels of crème te morsen op hun mantels – gebakjes te eten. Vlak bij de hoek van het plein zag zij ineens de dichter Fosfer lopen, in trui en grof katoenen broek, een jasje los om de schouders, zijn hoofd wat achterover, zo op het oog een verstrooide pittoreske figuur. Maar toen zij hem bij de naam riep, reageerde hij onmiddellijk. Zonder zijn gezicht naar haar toe te keren keek hij haar aan vanuit zijn ooghoeken.

'Hai, Sera.'

'Hoe gaat het met je?' vroeg zij, om maar wat te zeggen.

'Goed hoor.' Fosfer vertrok zijn mond in een toegeeflijke scheve grijns. Zij kon zich voorstellen dat hij haar conventionele begroetingsformule komisch vond en begon ook te lachen. Terwijl zij bij de zebrastrepen overstaken, zocht zij naar woorden om de geruchten ter sprake te brengen waar Frank Swaart in zijn brief van gerept had. Maar Fosfer had iets in zijn manier van doen waardoor het feit of hij al dan niet rondvertelde dat hij de Plume d'Or zou krijgen volkomen irrelevant scheen. Hij trok haar bij haar arm mee de stoep op. Een scooter schoot knetterend voorbij.

'Zo'n ding moet een mens hebben,' zei Fosfer peinzend en licht spottend, 'zo'n mooie springkrekel, rood of wit, ja wit, met veel nikkel, je bestuurt een bliksemschicht. Fosfer Fulgurans, stel je voor! Gaan wij dezelfde kant uit?'

'Ik ben op weg naar Joris,' zei zij, met een hoofdbeweging naar het gebouw waar hun beider uitgever een verdieping had, en dat in de verte boven de boomtoppen zichtbaar was.

'O ja? Joris is een brave man. De groeten! Ik moet hier rechtsaf.'

Hij liet zijn handen in clownesk wuiven ter hoogte van zijn gezicht fladderen als vogels en barstte opnieuw in lachen uit. Een eind verder keek Sera nog eens om, zij kon het niet laten. Fosfer stond te wachten aan de rand van het trottoir tot de verkeerslichten op groen zouden springen. Hij scheen zich niet bewust van zijn omgeving, leek in zichzelf verzonken als een klein kind of een dier, maar Sera vermoedde dat hij alles zag, alles hoorde, en gedurende een kort, flitsend moment had zij zijn oren en ogen, wentelde het plein om haar heen als een wiel van kleuren en geluiden, een spinnenweb van bewegingslijnen, een explosie van tekens. Zijzelf was even door dat beeld geschoten, half bekend, vaag verontrustend misschien, maar nu bestond zij al niet meer voor hem.

Joris reikte naar een asbak, verschoof tegelijkertijd zorgzaam een draadplastiek die op de hoek van zijn schrijftafel stond, een versteende doornstruik, een waaiervormig stekelig, gehoornd, gevlerkt bouwsel van roestig filigreinwerk.

'Van Fosfer,' zei hij verklarend. 'Die jongen kan alles. Dit nou bijvoorbeeld: Vlindermens op Vliegwiel...'

Hij aarzelde even en riep toen luidruchtig: 'Hij moet die prijs hebben, jullie moeten die jongen bekronen, anders zijn jullie gek!' Sera drukte met haar vingertoppen zachtjes tegen de scherpe punten van het bevlogen voertuig dat aan Fosfers verbeeldingskracht ontsproten was.

'Fosfer vindt scooters mooi.'

'Al die jongens immers!' lachte Joris. Voor het eerst voelde zij jegens hem iets van ergernis, leek zijn jovialiteit haar niet helemaal echt. Hij boog zich voorover en legde zijn hand op haar arm. 'Waar praten we over, het staat immers al vast.'

Zij trok zich zachtjes terug. 'Wat staat vast?'

'Je bent een liefje,' zei Joris. Hij keek haar glimlachend aan, zijn hoofd schuin, als een hond die ondeugend geweest is, maar op vergiffenis rekent. 'Wat zit je toch te kijken, je bent niet tevreden vandaag. Is er iets? Wacht even.'

Een typiste kwam binnen met koffie. Zij was lang en mager en geschminkt als voor een toneelvoorstelling, met Egyptische zwart omrande ogen. Onder haar trui staken haar borsten spits naar voren. Zij droeg in haar oren constellaties van gekleurde glazen ringen, die bij iedere beweging tegen elkaar tinkelden.

Haar haren, boven de oren gebleekt, lagen kortgeknipt in een draaikolk van lokken en vlokken om haar hoofd. Zij duwde de deur met haar voet achter zich dicht, begroette Sera met een meewarig-keurende blik, zette zuchtend de koppen op het tafeltje. Sera had – als bij vorige ontmoetingen – het gevoel dat het meisje zich met opzet brutaal en onverschillig gedroeg om innerlijke onzekerheid te verbergen. Ondanks de opmaak, haar uitdagende boezem, haar houding van spottende verachting voor alles en iedereen, maakte zij de indruk triest in zichzelf teruggestoten te zijn. Onder de geschilderde schijnmond hadden haar eigen lippen een weerloze lijn. Haar rug en nek zagen er vernederd uit. De hooggehakte schoenen met brede modieuze banden over de wreef suggereerden wonderlijk genoeg veeleer de geboeide voeten van een slavin dan fuiven en vrijgevochten gedrag. Op het kantoor van de uitgeverij noemden zij haar de lichte muze. Na met een aantal schrijvers, dichters, tekenaars en redacteuren naar bed geweest te zijn, had zij korte tijd een verhouding gehad met Joris' assistent. Sera meende zich te herinneren dat die geschiedenis enkele maanden tevoren in een drama was geëindigd.

'Merci, Stans,' zei Joris. De typiste ging naar de deur, haar heupen zwaaiden nonchalant heen en weer, het leek alsof zij naakt was onder haar nauwe rok. Maar haar schouders en haar dunne kale nek smeekten om mededogen. Voor zij de knop omdraaide keek zij nog een keer achterom en zei met een stem zonder uitdrukking: 'Vanmiddag en morgen ben ik er niet, dat weet u toch?'

'Jezus ja, dat is waar, je hebt vrijaf gevraagd. Ik was het weer vergeten. Nou goed, ga maar, ik heb het je zeker beloofd?'

Het meisje keek hem aan met een schampere glimlach en trok de deur hard achter zich dicht.

'Die Stans Deemster...' Joris greep de punt van zijn neus vast en schudde langzaam zijn hoofd, een gewoontegebaar. 'Dat is een type. Een rare meid en toch ook een verduiveld goed kind. Wist je maar wat er in zo iemand omgaat. Je krijgt er geen vat op. Haar werk is altijd in orde, zij heeft behoorlijke hersens, maar zij loopt erbij en gedraagt zich als een barjuffrouw. Na die geschiedenis met Hans hier had ik haar misschien de laan uit moeten sturen. Zij kijken dwars door elkaar heen, hij wil niet tegen haar praten en zij zou niet naar hem luisteren als hij het wél deed, dergelijke dingen kan je in een zaak eigenlijk niet hebben, maar wat moet ik zonder Hans, en zij is ook een goede kracht. Enfin. Om nu terug te komen op ons gesprek van daarnet: ik heb inderdaad een nieuwe uitgave van Fosfers werk klaarliggen, Verzamelde Gedichten in een fijne band, ik zal het je straks laten zien...'

Hij schoof, van haar afgewend, het voetstuk van Vlindermens op Vliegwiel nu eens naar links, dan weer naar rechts. 'Jij hebt tegen zijn bekroning gestemd, is het niet? Dat weet ik nou toevallig, laat maar. Jij voelt nogal voor Frank Swaart. Spitse jongen, schrijft goed. Maar ik noem zijn werk edel-journalistiek. Kijk, literatuur gebéúrt. In Fosfer gebeurt gewoon godzalige poëzie. Nee, niet lekker, maar groots. Hoe, waarom? Ik weet het niet, en hijzelf ook niet. Hij lacht zich rot als hij leest, wat de kritiek zegt, al die theorieën. Hij máákt die verzen en daarmee uit. Of je ze nu begrijpt of niet, en ze zijn niet om te begrijpen, je geeft toch toe dat het wat ís...'

'Ik ben er ondersteboven van.'

'Nou dan.'

'Ja, als van een aardbeving of een overstroming.'

'Wat wil je nog meer? Aardbeving, overstroming, dat is het precies.'

'Ik weet niet wat het betekent.'

'Betekenis laat Fosfer koud, inhouden zijn rot of versleten, zegt hij, hij speelt met de woorden, die woorden op zichzelf vindt hij fijn, mooi, als de dieren en de planten van de eerste scheppingsdag, schuldeloze monsters, machtig uitgedrukt overigens...' Joris had zich warm gepraat en bewoog zijn grote handen betogend heen en weer.

'Wat zijn fijne mooie maar lege woorden?' vroeg Sera, nu ook heftig omdat zij voor een deel zichzelf bestreed. Weer was zij zich pijnlijk bewust van de paradox. 'Mag iemand schuldeloze monsters op de wereld loslaten? Homo sapiens is óók schepping. Fosfers chaos is oogverblindend, dat ontken ik niet. Maar ik wou dat ik hem zag kiezen, dat ik in zijn gedichten zijn bewustzijn ordenend aan het werk zag, dat ik hemzelf daarin kon vinden als persoon, als degeen die hij ís.'

'Ach, jij wilt zoveel tegelijk. Fosfer leeft van ogenblik tot ogenblik, voor hem telt niets dan nu en hier, het onmiddellijke. Wat weten jij en ik van zijn bewustzijn, wat gaat het ons aan, we hebben er alleen mee te maken dat hij onze taal verrijkt als niemand anders op dit moment en daarom moet hij die prijs hebben.'

'Is het in zijn belang?' vroeg Sera mismoedig.

'Je hebt er geen denkbeeld van hoe zo'n jongen bestaat. Vorige week heb ik hem nog een voorschot gegeven, meer dan ik kan verantwoorden, maar wat wil je? Hij had bij wijze van spreken geen broek aan zijn gat. Nee, je moet nodig vragen of het in zijn belang is,'

'Dat bedoel ik niet. Wie beschermt hem straks als hij in de publiciteit komt, zoals dat heet? Voor kunstenaars zoals Fosfer staan er altijd begeleiders klaar.'

Joris grinnikte, niet zonder boosaardigheid.

'Dat moet je maar eens zeggen in die jury van jullie,' zei hij. 'Ik ben benieuwd hoe ze zullen reageren... vooral Roduman.'

'Roduman?'

'Roduman, ja.'

Joris wierp haar een onderzoekende blik toe. Zij zaten een ogenblik zwijgend tegenover elkaar. Hij keek op zijn horloge, zij zag dat en tastte naar de rieten boodschappenmand naast haar stoel. Tegelijkertijd stonden zij op.

'Vergeet je mijn instuif niet, vanavond?' vroeg Joris, terwijl hij de deur voor haar openhield. 'Kom nou weer eens een keer.'

Zij betrapte zichzelf erop dat zij weer een denkbeeldige dialoog met Roduman voerde. Dat deed zij dikwijls, sinds zij hem had leren kennen. Nooit had zij zo scherp beseft als in dit geval, hoe bedrieglijk dat begrip 'leren kennen' is. Klaas Roduman was een grote, wat logge man, met een slordig uiterlijk. Zijn kleren hingen hem om het lijf alsof zij hem een maat of twee te wijd waren. Zijn dikke droge staalgrijze haar groeide kroezend tot laag in zijn nek. In zijn werk en bemoeienissen met anderen was hij echter uiterst nauwkeurig en terzake. Hij had een jaar of tien geleden verhalen en artikelen gepubliceerd, maar was hij een schrijver? Hij verzorgde de poëziekroniek in een groot dagblad, besprak romans voor een radiorubriek, maar maakte dat hem tot criticus? Hij had onmiskenbaar gezag in literaire kringen, zat in jury's en commissies, men zag hem overal, een bebrilde, niet op de voorgrond tredende aanwezige bij culturele plechtigheden, prijsuitreikingen, manifestaties. Zijn invloed op anderen scheen van een afstand duidelijker waarneembaar dan van dichtbij. Op vergaderingen trad hij bescheiden en correct op, sprak niet veel. Hij mengde zich zelden of nooit persoonlijk in debatten of polemieken, hoewel hij er achteraf meestal wel bij betrokken bleek te zijn. Te midden van rijzende en dalende gesternten aan de letterkundige hemel bleef zijn positie constant, hij werd niet opgehemeld of afgebroken, hij was er, onopvallend maar onaantastbaar, alomtegenwoordig. Dit vond Sera des te merkwaardiger omdat zij van een werkelijk intense belangstelling voor kunst en letteren als zodanig, van een voorkeur, een standpunt, een duidelijke eigen signatuur in mening en houding bij Roduman niets kon ontdekken. Zij kon niet formuleren wát hij betekende, wát hij vertegenwoordigde. Toen Joris zijn naam noemde, had zij Roduman voor zich gezien zoals hij in de kwaliteit van secretaris der jury aan de beraadslagingen over de Plume d'Or had deelgenomen: op een strategisch goedgekozen plaats aan de lange tafel, zwijgzaam als gewoonlijk (slechts van tijd tot tijd te wijdlopige discussies afbrekend en dan met een enkel woord de bespreking in de juiste richting leidend), zorgvuldig bezig aantekeningen te maken; steeds aandachtig luisterend, met zijn kin gesteund op de duim van zijn linkerhand, de gestrekte wijsvinger tegen zijn lippen. Zijn ogen gingen van de een naar de ander. Herhaaldelijk had Sera zijn nadenkende blik opgevangen. Zij trachtte zich te herinneren wat hij ten gunste van Fosfer te berde gebracht had en hoe hij gereageerd had op haar pleidooi voor Frank Swaart. Er wilde haar niets bijzonders te binnen schieten. Terwijl zij instinctief uitweek voor het verkeer in de smalle straten van het centrum, richtte zij tot Roduman haar zwijgend betoog, zij wist niet waarom. De woorden die zij op de vorige vergadering niet had kunnen vinden, welden nu in haar op. Ik denk dat het inderdaad de bedoeling is dat Fosfer de Plume d'Or krijgt. Hij moet die prijs hebben omdat zijn werk de bestaande orde aantast en de wereld ondersteboven keert. In taal- en beeldgebruik is hij revolutionair, laat ik liever zeggen anarchist, en ons daarom alleen al dierbaar. Want dat willen de meesten van ons toch openlijk of heimelijk: de wereld radicaal veranderen. Fosfer is de magisch uitverkorene, die voor ons spreekt, die doet wat wij niet kunnen of durven doen: slopen, vernietigen, verpulveren en dan zelf als een Proteus van scheppingskracht alle gedroomde gedaanten aannemen. Wij willen hem belonen voor de bevrediging die hij ons zo verschaft, en omdat hij onze diepste wensen verwezenlijkt. Wij bekronen hem omdat hij onszelf vernietigt, omdat hij een einde maakt aan waarden waarin wij niet meer geloven, maar waar wij niet van kunnen loskomen, die wij machteloos haten en liefhebben tegelijkertijd. In Fosfers verzen komt de mens niet meer voor als een 'ik' dat hoort, ziet, voelt en denkt. Het bezielde en onbezielde vloeien in elkaar over, er is alleen nog een baaierd waar kleuren hoorbaar, geluiden zichtbaar, gedachten en gevoelens vormen van de natuur zijn geworden, en de dingen het gezicht en de gestalte van mensen hebben aangenomen, waar mensen vormeloos zijn als schimmelvlekken op een muur, groeven in de bodem, aderen in steen, schuim-krinkels op het water. Het is groots, maar het is ook een visioen van de abdicatie van de mens. De kosmos verslindt de mensenwereld, dát gebeurt er in Fosfers werk. Als wij hem de Plume d'Or, symbool van meesterschap met de pen, geven, bekronen wij het buitenmenselijke, dus ónmenselijke standpunt, het volstrekt ongerijmde.

Rodumans vader had een orthopedische schoenmakerij op het kruispunt van twee smalle grachten in de binnenstad. 's Zomers hing er onder de dichte boomkronen langs het water een groen licht als in het inwendige van een fles. Nu was alles grijs, onder de hoge brug blonk het water. Het huis was heel oud en scheef.

In het schemerdonkere voorhuis stonden in verder lege kasten hier en daar was- en gipsmodellen van misvormde voeten uitgestald. Er was daar niemand, hoewel bij het opengaan van de deur een bel doordringend en langdurig gerinkeld had. Sera, die hier al eens eerder geweest was, duwde de matglazen deur achterin de toonkamer open. Meteen rook zij de sterke teerlucht. Uit het atelier – een pijpenla met een raam dat uitzag op een binnenplaatsje – kwam een man tevoorschijn. Zijn gezicht deed denken aan een verwrongen voet, even knobbelig, even geel van tint als de wasmodellen. Om meer licht te krijgen hadden zij hier in de gangwand ramen laten aanbrengen. Door de stoffige ruiten heen kon Sera binnenkijken in de rommelige werkplaats. Boven de met lappen leer en een chaos van instrumentjes bedekte tafel waaraan de oude man gezeten had, slingerde een lamp, afgeschermd door een aluminium kapje, aan een lang snoer zachtjes heen en weer. Door de werkplaats sloeg een golf van warmte haar tegemoet, maar uit het voorhuis, waar nooit gestookt werd, woei vochtige kilte tegen haar rug en benen.

'Mijn zoon?' vroeg de oude man, met een gretige kinderlijke vriendelijkheid die Sera's medelijden opwekte, zij wist zelf niet waarom. 'Ja, die is thuis, tenminste, dat denk ik, als hij weggegaan was had ik hem hier langs zien komen, dus zodoende...' Hij boog zich voorover en tuurde naar haar, knipperend met rood-ontstoken ogen. 'Ik ken u ergens van, waar heb ik u toch al eerder gezien?'

'Ik ben vroeger eens een keer hier geweest,' zei Sera. Zij noemde haar naam.

'Ach! nou zie ik het ook, waarachtig. Ik zal hem voor u roepen, als hij er tenminste ís.' Rodumans vader opende een deur, waarachter de eerste treden van een wenteltrap zichtbaar werden. 'Heidaar, Klaas, er is bezoek voor je!' Toen er geen antwoord kwam, slofte hij naar boven. Sera bleef wachten in de nauwe gang. Nu zij hier stond, wist zij niet meer wat zij eigenlijk tegen Roduman had willen zeggen. Zij kon alleen meewarig glimlachen om haar eigen naïveteit. Het was immers onmogelijk hem rechtstreeks vragen te stellen, te zinspelen op een geheimzinnig leiderschap, een macht als die van een roerloze spin middenin zijn web, zonder dat daar enige grond voor bestond. Was dit waar, bedroog haar intuïtie haar niet, dan was ongrijpbaarheid, ondefinieerbaarheid, juist een wezenlijk kenmerk van Rodumans rol.

Boven hoorde zij gedempt praten, maar zij kon geen stemmen onderscheiden. Zij staarde naar het grijze vierkant van het raam in het atelier. Het binnenplaatsje was de bodem van een schacht tussen de hoge huizen. Wie laten er hier schoenen maken, dacht Sera. Zij stelde zich de klanten voor, binnenhinkend, binnenstrompelend, in het voorhuis met die lugubere uitstalling van voetgebreken. Iemand kwam met drie treden tegelijk de trap af. Het was Roduman, verstrooid met gespreide vingers door zijn haar strijkend.

'Zo, dat is onverwacht, het spijt me, ik heb boven bezoek, een bespreking...' Hij keek langs haar heen naar zijn vader, die het atelier weer binnenging. De oude man liep langzaam en neerslachtig; zijn hand gleed steun zoekend langs de tafelrand. 'Ik kan je helaas niet ontvangen, maar jij kunt je wél een paar nieuwe voeten laten aanmeten.'

'Dan moet zij niet hier zijn,' zei Rodumans vader zacht. Hij boog zich over zijn werkstuk onder de laaghangende lamp. Er begon een machientje te snorren. Roduman schudde zijn hoofd en wees naar boven. 'Het zal nog wel even duren. Ik verwachtte je niet.' Hij keek over haar schouder heen naar de deur van het voorhuis.

'Het doet er niet toe, ik was hier toevallig in de buurt,' zei Sera. Zij draaide zich om, maar nu was hij haar voor. Hij duwde de deur open. 'Ja, dat moest een mens kunnen, horrel- en klompvoeten en hoeratenen en scheefgegroeide hielen gewoon afzagen en vervangen door mooie gave vlugge voeten om mee door de wereld te lopen,' zei Roduman luchtig, alsof zij juist urenlang bij elkaar op theevisite gezeten hadden. 'Dat zou beter zijn dan dat lapwerk van mijn vader, die dikke zolen en beugels en wat hij zoal meer in elkaar prutst... Ik kan je schoenen laten zien als olifantspoten en doedelzakken...'

'Tot ziens dan.' Zij stond weer op straat. De deur werd achter haar gesloten. Zij had het gevoel met zachte drang naar buiten gewerkt te zijn. Roduman had zelfs niet gevraagd naar de reden van haar komst. Ontevreden met zichzelf liep zij langs de smalle gracht. Zij treuzelde bij een winkel waar achter de ruit goudvissen door straalbreking tot het drievoudige vergroot in kommen rondzwommen.

Rodumans bezoeker deed een stap terug van het raam.

'Was dat niet de vrouw van mijn medewerker Doornstam?'

'Sera Diem, de dichteres, ja,' zei Roduman.

Zachtjes in zichzelf lachend, hoofdschuddend, ging Emile Hazekamp weer zitten in de stoel waaruit hij was opgestaan toen Roduman naar beneden geroepen werd. 'De listen en lagen van het lot zijn wonderbaarlijk.'

'Tja,' zei Roduman onverschillig. Het bleef een tijdlang stil. Roduman ordende papieren in een map, zo nu en dan met een blik naar de ander, die voorovergebogen, in gedachten verzonken, door zijn vale dunne haar streek.

'Aan niets ter wereld heb ik zo'n mateloze hekel als aan naïveteit,' zei Hazekamp plotseling, traag en nadrukkelijk, als begon hij een toespraak. Roduman kon niet nalaten even misprijzend te glimlachen.

'Er is geen menselijk type dat me zo prikkelt en ergert als dat van de Reiner Tor,' vervolgde de advocaat. 'Ik heb mezelf vaak afgevraagd waaruit die afkeer eigenlijk voortkomt. De zogenaamde zuiverheid, dat mengsel van onbevangenheid en onschuld, goedgelovigheid en welmenendheid: volgens mij altijd een gebrek aan intelligentie. "Innocence is a kind of insanity..." Ik weet niet meer wie dat gezegd heeft, maar het is wáár. Ik weiger eenvoudig aan te nemen dat scherpe observatie van de werkelijkheid kan samengaan met innerlijke gaafheid. Dergelijke mensen hebben meestal ook geen gevoel voor humor. Onder esprit versta ik iets wat gekruid is met een vleug boosaardigheid. Heldere en ondubbelzinnige karakters vind ik gewoon vervelend.'

'Zullen wij nu verdergaan? Er zijn nog een paar punten en wij hebben niet veel tijd. Jij bent zo plotseling uit de lucht komen vallen...'

'Ik moet wel,' zei Hazekamp schouderophalend.

Rodumans gezicht verstrakte. Hij legde de opengeslagen map voor zich op tafel en tikte met zijn vulpen tegen de metalen klemmen aan de binnenzijde die de papieren op hun plaats hielden.

'Mijn ex-minnares kan dat niet alleen aan,' vervolgde Hazekamp. 'Trouwens, wie anders zou haar moeten bijstaan? Ik ben haar raadsman.'

'Je had rustig in Nice kunnen blijven. Je bent immers officieel ziek.'

'Dit is geen zaak voor mijn medewerkers. Zeker niet voor Doornstam jr. Een beste kerel, een gentleman. Ik ken die jongen nog uit de oorlog. Hij werkte voor een van mijn groepen...'

Roduman zuchtte.

'Ja, word nu alsjeblieft niet ongeduldig!' riep Hazekamp boos. Nu hij luider en sneller ging spreken, verloor zijn stem de wat ouderwetse geaffecteerde intonatie en werd er een licht Amsterdams accent hoorbaar. 'Door die geschiedenis in A. wordt ineens een heel stuk verleden opgerakeld. Jaren van mijn leven...'

Roduman sloot de map en legde zijn vulpen er dwars bovenop. Hij steunde zijn kin in zijn hand en keek naar het plafond. Hazekamp maakte een driftig wuivend gebaar, maar beheerste zich. Hij schoof wat naar voren in zijn stoel en raakte even Rodumans knie aan.

'Ik hoef jou toch niets te vertellen. Jij hebt in de oorlog... enfin. Decepties zullen ook jou niet bespaard gebleven zijn. Toen de solidariteit van de eerste jaren begon te tanen, toen het te lang ging duren... Die burgers in A. in hun villa's, allemaal academici uit Leiden en Utrecht, je kent het soort, koketterend met ethische en progressieve idealen, heel lieve en brave mensen voor het merendeel, maar als bezittende klasse natuurlijk toch zo behoudend als de hel onder het liberale korstje. Het was algauw duidelijk dat die nooit tot concessies bereid zouden zijn na de oorlog. Eerst keken ze nog een tijdlang de kat uit de boom, maar toen begonnen ze zoetjesaan tegen te werken. Verzet binnen het verzet. Voorlopige samenwerking, een vorm van wapenstilstand. Er zat geen toekomst in. Er was daar in A. een man met wie ik toen veel te maken had; voor mij een exponent van die kringen... Bepaald geen naïef mens, geen Reiner Tor. Toevalligerwijs is hij ook betrokken geweest bij het geval waarvoor ik nu teruggekomen ben. Wonderlijk, wonderlijk allemaal. Ik heb mij vaak afgevraagd of misschien hij... Enfin híj ligt óók in zijn graf, van de doden niets dan goeds. Ik haatte hem, maar ik had hem nodig. Hij wantrouwde mij ook, natuurlijk, hij speelde zijn eigen spel, het spel van zijn relaties, van de hele kliek waartoe hij behoorde. Ik ben door het contact met hem gaan begrijpen dat ik vooral tegen hén vocht... en nóg vecht...'

'Je maakt het te belangrijk, Emile,' zei Roduman, zonder zich te verroeren. 'Dat is allemaal verleden tijd.'

'Behalve dan dat nu letterlijk de resten aan het licht zijn gekomen.' Hazekamp lachte weer zachtjes, ongelovig. Er was een ogenblik stilte.

'Diepwater... heette je toen niet zo?' Er ging even een schok door Hazekamp bij het horen van die naam. 'Onder andere, ja.'

'Stille waters hebben diepe gronden. Waarom niet Stilwater of Diepgrond?' vervolgde Roduman.

'Misschien omdat ik me de diepte bewust ben, maar altijd tevergeefs naar stilte verlangd heb,' zei Hazekamp. 'Je ziet het, nu heb ik nog geen rust.'

Roduman haalde zijn schouders op. 'Mocht dit uitkomen, dan kan je je verantwoorden,' zei hij effen. 'Dergelijke dingen zijn vaker gebeurd.'

'Daar ben ik niet bang voor. Maar als het niet nodig is geen woord over die dingen. Ik verbaas mij alleen over... een bepaalde coïncidentie. Over het feit dat niets ooit definitief voorbij is. Daden, beslissingen, vormen uitlopers tot ver in de toekomst, die zich op hun beurt weer vertakken... En altijd, altijd, komen dezelfde problemen, dezelfde crisissituaties terug... en handelt een mens volgens hetzelfde schema. Het wemelt in mijn leven –

juist in het mijne! – van naïeve, gevaarlijke lieden... zo zal ik ook mijn leven lang blijven vechten voor datgene waar ik tijdens de oorlog voor gevochten heb. Zij het ook zonder een greintje hoop op welslagen. Mag ik uit het hoofd vertaald Valéry voor je citeren. "Op de bodem van de tijd liggen als gezonken schepen talrijke culturen bij wie zich nu ook weldra de westerse cultuur zal voegen." Ik vecht dóór, quand même.'

Roduman lachte kortaf. 'Romantiek. Je wordt oud, Emile.'

'Zou het?'

Zij keken elkaar aan, Hazekamp met een flikkering van waakzaamheid in zijn bleke schildpadogen, Roduman met een stenen blik.

'Ik heb een theorie,' zei Hazekamp, weer traag en geaffecteerd nu. 'De zogenaamde homo sapiens leeft in gradaties van menselijk tot niet-menselijk en zelfs onmenselijk, en dat bedoel ik niet in moreel opzicht, maar vooral met betrekking tot zijn intelligentie, de manier waarop hij zichzelf in de wereld ondergaat. Het "menselijkst" is volgens mij de mens die de rede, de denkkunst als zin en doel van zijn bestaan ziet. Wie zich pas voelt leven als hij zich mystiek opgenomen weet in een geheel waar het licht van de intelligentie niets meer betekent, waar men alleen geloven kan, of blindelings zich láten leven, verschilt voor mij alleen gradueel, maar niet wezenlijk van de planten en de dieren... Ik zeg met Valéry: "Les choses du monde ne m'intéressent que sous le rapport de l'intellect..." Ja, in vredesnaam, ik luister naar je.'

Roduman sloeg de map weer open.

'De protestactie die jij zou helpen voorbereiden, is niet gauw genoeg op gang gekomen. Die zware jongens die je op handtekeningen hebt uitgestuurd in de binnenstad zijn niet erg handig te werk gegaan. Wanneer je niet alles zelf doet, komt er niets van terecht. Er moeten klinkende namen op zo'n lijst. In de Lange Niezel en de Haarlemmer Houttuinen kunnen we huis aan huis adhesiebetuigingen krijgen, maar dat zet geen zoden aan de dijk.'

'Ik geef je zo vijfhonderd pop voor die actie. Je moet circulaires laten drukken. Ik weet een adres...'

'Dat is mooi van je,' zei Roduman schamper. 'Ik zal het je helpen onthouden. Ik had liever dat je me mensen met naam bezorgde, die boven de partijen staan en voldoende arrivé zijn...'

'Is die vrouw van Doornstam niet iets, aan haar had ik al even gedacht. Nog jong, en neutraal, en bovendien in het nieuws door haar laatste publicatie, is het niet? Ik heb het niet gelezen, ik lees nooit meer iets, behalve die paar Franse meesters waar ik aan verknocht ben. Aan mijzelf heb je in dit geval niets, ik erken het dadelijk, ik ben niet genoeg chevalier sans peur et sans reproche.' Hij maakte een weids gebaar als een negentiende-eeuwse operazanger. 'Aan de andere kant ben ik ook weer niet fanatiek genoeg, nu niet meer... In mijn jeugd was ik anarchist, daar zat toen toekomst in. Tegenwoordig beweeg ik me in het grote zakenleven...'

Roduman zei niets.

'Ik weet wel wat je denkt,' vervolgde Hazekamp. 'Het staat op je gezicht geschreven. Je vindt me een seniele opportunist, rijp om uitgeschakeld te worden. Je ergert je, omdat je mij nog nodig hebt. Want je hebt mij nodig. Er zijn heel wat deuren waar jij niet in zou komen als ik ze niet eerst voor je openhield.'

'Zou het?' vroeg Roduman. Hij legde een papier dat Hazekamp bekeken had weer terug in de map, en nam er een ander uit.

'Apparatsjik,' schold Hazekamp binnensmonds. Tussen zijn oogleden waren zijn kleine ogen dof loodkleurig van haat.

Het draaiorgel speelde een wilde zwierige wijs, een danslied vol overmoed, een melodie voor avonturiers en jonge verliefden. De bont beschilderde poppen glimlachten star en lieten op de maat hun koperen bekkens tegen elkaar slaan. De façade van het orgel was wit en bedekt met barokke versiersels als een suikertaart. Aan de achterzijde zag men door een opening het boek met het grillige patroon van gaten en gleuven voorbijglijden. De orgelman scheen aan zijn wiel geketend als een dier in de tredmolen, soms hing hij eraan, met beide armen hoog boven het hoofd gestrekt, zijn ribben werden dan zichtbaar onder zijn tricothemd, soms zakte hij door zijn knieën of wierp zijn lichaam van links naar rechts, terwijl hij het wiel nu eens met de ene, dan weer met de andere hand liet draaien. Zijn maat stond op het trottoir te rammelen met het geldbakje. Sera liep door, haar voeten bewogen onwillekeurig op het ritme van de muziek. Haar bloed stroomde sneller, zij moest glimlachen en diep ademen alsof er een last van haar afviel. Zij wist het wel, dit was een lichte roes, die vervliegen zou zodra zij de klanken van het orgel niet meer horen kon. De jagende wolken en de meeuwen en hun spiegelbeeld in de plassen op straat en het deinende water in het Damrak waarop de kleuren van de regenboog in spiralen en concentrische ringen dof blonken al naarmate de olievlekken uiteen vloeiden, de schepen, de bomen aan de oever, huizen en mensen en vervoermiddelen, een bont geheel, maar bedrieglijk en broos als het beeld dat gedurende één ogenblik in het spiegelende oppervlak van een zeepbel trilt. Het rook in de lucht naar zilt water en asfalt, naar haring en damp en benzine, maar door dat alles heen lokte een vage geur, die onweerstaanbaar de verrukkingen en het hartzeer van jong zijn opriep. Sera opende haar lippen, alsof zij zo de adem van het voorbije kon inzuigen. Zij kreeg plotseling een gevoel alsof zij lood in haar schoenen had. Zij was zo moe dat zij wel op straat kon gaan zitten. Tegelijkertijd realiseerde zij zich dat zij de muziek niet meer hoorde. Het draaiorgel was weggereden. De meeuwen cirkelden krijsend boven haar hoofd. Zwarte damp dreef over de emplacementen van het Centraal Station in de verte.

Zij was met haar vader meegegaan om muziek te halen die hij bij de familie Doornstam op de vleugel had laten liggen. Wacht maar in de gang, had hij gezegd, maar toen hij naar boven ging had zij achter de glazen deur groen en kleuren zien schitteren in de zon. Daar was zij naartoe gelopen. Bij een vijvertje stond een jongen met sluik donker haar die haar stil aankeek. Zijn ogen waren lichtbruin en doorschijnend, als water in een leemkuil. Zij begreep dat dit Leonard moest zijn. Haar vader was wel op hem gesteld. Leonard Doornstam is een palmboom in de woestijn, had zij hem eens horen zeggen en zij wist dat daarmee iets werd aangeduid wat te maken had zowel met de bij hen thuis vaak besproken muzikaliteit als met een karakteristieke eenzame eigenzinnigheid van Leonard.

'Ik ben Sera Diem,' zei zij, terwijl zij tegenover hem ging staan.

'Ja, dat zie ik wel,' zei Leonard.

'Wat doe je?' vroeg zij. Leonard trok zijn wenkbrauwen op.

'Achter de Westertoren hangt een wolk die de vorm heeft van Italië. Je kunt het nog zien, denk ik.' Hij stond er met zijn rug naartoe.

'Ja, dat is zo,' zei Sera verrast. 'Een laars, met Sicilië aan de punt. Waarom kijk je er zelf niet naar?'

'Ik heb het al gezien, dadelijk valt het uit elkaar.'

Zij bogen zich gelijktijdig over de vijver en keken heimelijk naar elkaars spiegelbeeld. Toen zij dat van elkaar merkten, moesten zij lachen. Leonard had een merkwaardige lach, hij liet even zijn tanden zien en sloeg dan verlegen zijn ogen neer. Achter de serreramen schemerden de gezichten van Sera's vader en mevrouw Doornstam, die daar stonden te praten.

Op Leonards verzoek mocht zij niet lang na die eerste ontmoeting weer meekomen, dat was op een zondag geweest, toen er in de salon gemusiceerd werd en haar vader een zingende dame begeleiden moest. In het verlengstuk van de bovengang, waar zij nog niet geweest was, hingen tegen een raam, dat op een binnenplaatsje uitzag, beschilderde transparanten, voorstellende arcadische landschappen met torenhoge bomen en watervallen, op de achtergrond de zee schuimend over rotsen, of bergketens met vulkanen waaruit rook omhoog pluimde.

'Wat is dat?' vroeg Sera.

'Dat bestaat niet,' zei Leonard. 'Kijk maar goed. Allemaal aardrijkskundig en geologisch onmogelijk.'

Zij sloegen de hoek in de gang om. Op smalle planken langs de wanden stonden tientallen popperig kleine antieke ladenkastjes uitgestald, miniatuur Louis xv en Louis xvi kabinetjes van ebben- en mahonie- en notenhout, met koperbeslag, of ingelegd met ivoor en paarlemoer. Ragfijne sleuteltjes staken in de slotjes. Sera bleef er sprakeloos bij staan. Zoiets had zij nog nooit gezien, zelfs niet voor mogelijk gehouden. Leonard was doorgelopen, had al een voet op de onderste traptrede.

'Ai!' zei Sera. Voorzichtig naderde zij de wonderbaarlijke verzameling.

'Van mijn vader,' zei Leonard in de verte. 'Je mag er wel aankomen als je wilt.' Zij betastte een sleuteltje, trok een laatje open.

'Allemaal leeg,' zei Leonard.

'Wat doet je vader ermee?' vroeg zij, verwonderd en nieuwsgierig. Leonard klom een paar treden hoger.

'Dat zie je, hij spaart dingen waar je iets in kan bewaren.'

'Maar er zit niets in.'

'Nee,' zei Leonard, 'en dwergen komen hier ook nooit.' Zij keek snel naar hem op om te zien of dat bedoeld was om te lachen. Maar Leonard lachte niet, hij liet zijn voet langs de richel van de traptrede schuren en hield zijn mondhoeken omlaag getrokken. Later liet hij haar zijn kamer op zolder zien. Op een grote tafel stond een rijtje boeken tussen twee boekensteunen in de vorm van schepen. Precies in het midden lagen op een vierkant stuk zwart doek schelpen en andere zeedingen gerangschikt.

'Is dat jouw verzameling?' vroeg Sera.

'Ik verzamel niets,' zei Leonard stug. Met verwondering zag zij de strakke orde die er in zijn kamer heerste, zij begreep ook zonder dat hij het zei dat dit zijn smaak was en van niemand anders. Hij vertelde haar dat overvloed hem benauwde, dat hij regelmatig opruiming hield, verscheurde, weggooide.

'Die mooie dingen ook?' vroeg zij met een blik naar de schelpen.

'Ja, te veel is verschrikkelijk,' zei Leonard zonder aarzelen.

'Maar kan jij iets wegdoen waar je van houdt?'

'Juist dan. Het is verkeerd ergens zoveel van te houden dat je vastzit. Dan ben je kwetsbaar. Je moet ergens van houden en toch los zijn. Anders kan je nooit iets van alle kanten zien en dus begrijpen, dan bereik je ook nooit iets. Trouwens, wat is dat, houden van?' Hij fronste zijn voorhoofd en keek langs haar heen. 'Als het goed is, is het vrijheid.'

'Maar je houdt toch van je vader en moeder?' vroeg Sera, bevangen door heimelijke hoop een uitspraak te horen die klaarheid zou brengen in haar eigen gevoelsverwarring ten aanzien van haar ouders. 'Je wilt toch voelen dat zij van jou houden?'

'Ik ben sterk in mezelf,' zei Leonard. Het klonk plechtig en koel. Zij keek hem met open mond warm verwonderd aan.

Sera liep de Cineac binnen. Het journaal was al aan de gang, bij het flitsende licht op het scherm zocht zij tastend een weg langs de rijen. Zij zat al, toen een ouvreuse met priemend lichtkegeltje te hulp schoot. Rondom hing uitwaseming van natte mantels; buiten regende het nu onophoudelijk uit een loodgrijze lucht. Zij zat stil in de donkere koepel van de bioscoopzaal, tussen onbekende anderen, en staarde naar het doek, passief in zich opnemend wat daar vertoond werd. Gezichten flitsten af en aan, een parade trok voorbij met kleine mannetjes onbeweeglijk op tanks en kanonnen, vliegtuigen landden, er stroomden officiële personen uit voor staatsiebezoeken, in amfitheatervormige vergaderzalen werd in vele talen – overschreeuwd door het gesproken commentaar – over internationale problemen geredetwist. Nu kwam er een schelle knetterende kakelende tekenfilm, roze en paarse gedrochten sloegen elkaar plat, bliezen elkaar op, bestookten elkaar hardnekkig in een orgie van waanzin en geweld.

Leonard, een palmboom in de woestijn. Het scheen alsof geen mens, geen gebeurtenis, hem wezenlijk kon beïnvloeden of aantasten. Die onafhankelijkheid van wat haarzelf voortdurend innerlijk in beroering bracht, maakte diepe indruk op Sera.

Later, toen hun vriendschap geleidelijk veranderde in een hechtere, ingewikkelder verstandhouding, brachten Leonards onverstoorbaarheid en reserve haar vaak in verwarring. Hij scheen bewust, vanuit een inzicht dat haar begrip te boven ging (want zij was van nature altijd voor onmiddellijkheid, nu en hier en helemaal), iets wezenlijks van zichzelf, het doorslaggevende onomstotelijke bewijs van zijn genegenheid achter te houden voor een nog ververwijderd later, wanneer zij volwassen en vrij zouden zijn. Sera deed haar best even vast als hij in die toekomst te geloven, maar zij werd telkens opnieuw uit de koers gedreven door twijfel en angst. Hoe kon Leonard zo zeker zijn? Alles was tegen hen.

Nooit had zij zich in zijn huis geheel onbevangen gevoeld. Al toen zij veertien, vijftien jaar was, raadde zij de gedachten achter de koele blik, de vormelijke vriendelijkheid van Leonards moeder, achter de onverschillige haast waarmee zijn vader haar bejegende wanneer hij haar in de gangen of op de trap tegenkwam. (Een toevallig opgevangen gesprek tussen mevrouw Doornstam en een logé: 'Zeg, heeft Leonard een vriendinnetje?' 'Ach, welnee, dat is een dochtertje van de pianoleraar.')

Leonard voelde de kritische houding van zijn ouders even scherp als Sera, maar hij trok zich er niets van aan. In die tijd vloeide onenigheid tussen hen altijd voort uit haar groeiende onwil op de Keizersgracht te komen. Ter wille van hem ging zij tenslotte toch altijd, en ook omdat er toen nog geen andere tijden en plaatsen waren voor hun ontmoetingen. Over de drempel van Leonards huis stapte zij een vreemde geordende wereld binnen, in alles het tegendeel van de hare, waar Leonard op zijn beurt niet thuishoorde. Dat zij hem deze dingen niet kon uitleggen, dat hij niet begrijpen zou wat zij bedoelde al had zij het wél gekund, misschien had zij dáárdoor voor het eerst beseft hoe zij tweeën, zelfs samen, en gelukkig met die saamhorigheid, toch ieder alleen waren, voor de ander onbereikbaar. Leonard had geen zintuig om waar te nemen wat zij met zich meedroeg als zij kwam, in haar neusgaten, in de poriën van haar huid, de vezels van haar hele wezen: de lucht van de kattenbak en de oude kokosmatten, het stof dat van de straat en de balkons der achterburen door de kleinste kieren binnendrong, zich nestelde onder de meubels, tussen de muziekboeken, de rook van de kachel met zijn knarsende asla, die zonder een scheut petroleum op de kranten niet trekken wilde, de jachtigheid van het hollen na schooltijd langs de groentewinkel en de bakker – haar moeder deed geen boodschappen meer, uit vergeetachtigheid, of omdat zij zich schaamde om zich op straat te laten zien –; de herinnering aan de man uit de leesbibliotheek beneden die haar tussen de rekken stiekem trachtte te strelen en te knijpen wanneer zij boeken kwam ruilen. Tegen die achtergrond blonk Leonard als een helder veelkantig kristal, prachtig in zijn begrenzing, louter licht. Terwijl uit een verborgen hammondorgel gedempte schlagermuziek ruiste, gloeiden in de zaal de lampen aan, een rossig warm schijnsel vulde de ruimte. Op het scherm wisselden reclameprojecties elkaar af, auto's, kousen, restaurants, kappers, de beste adressen voor tv en radio. Sera had het gevoel alsof zij en alle anderen hier samen in een immense baarmoeder zaten, geborgen in de rode schemering, gesust door de kelige klanken van de vox humana. Zij keek om zich heen, de meeste mensen hielden hun ogen zwijgend op het doek gericht. Plotseling had zij geen zin meer de rest van het programma te zien. Zij stond op en liep de zaal uit. In de hal keek zij op haar horloge. Zij besloot op Frank Swaart te wachten in de cafetaria achter het gebouw van zijn krant.

In de sanitairwinkel van Louis Deemster rinkelde de telefoon. Hij zelf nam aan.

'Voor jou, Rie,' zei hij, in de richting van het gangetje dat naar zijn woonkamer achter de zaak leidde. De werkster kwam onthutst aanlopen, haarstrengen wegstrijkend uit haar gezicht.

'Je man,' fluisterde Deemster. 'Maak het kort.'

Zij stak haar vochtige hand uit naar de hoorn.

'Hallo?' vroeg zij aarzelend. Aan de andere kant van de lijn begon Egbert tegen haar te praten op zijn luide toon van ruziezoeker.

'Ja zeg, hoe zit dat, net belt iemand mij op of je nog naar dat adres op de Keizersgracht bent geweest om een handtekening...'

'Och, weken geleden immers al, maar zij was er niet.'

'Maak dat nou meteen in orde, die lijst moet de deur uit.'

'Ik heb hier nog uren werk,' zei zij ontwijkend.

'Geen gelazer, je gaat er vanmiddag naartoe.'

Het huilen stond haar nader dan het lachen. 'Ik weet niet of ik wel kan, de kinderen...'

'Moet ik je komen halen, met Sjors?'

Zij hield van schrik haar adem in. Voor zij kon antwoorden hoorde zij het signaal verbinding verbroken. Zij legde de hoorn op de haak.

Rie Ramper werkte al bij meneer Deemster als schoonmaakster voordat haar man in betere doen was gekomen. Zij was nog geen dertig, had een zwaar figuur, een fris gezicht. Drie ochtenden in de week om acht uur liep zij van haar huis naar het Centraal Station en ging daarvandaan met de tram naar de zaak van meneer Deemster in Oud-Zuid. Zij dweilde de vloer van de winkel, nam al het nikkel en porselein en marmer en de spiegels met een vochtige zeem af, lapte de ruiten van de etalage. Dan deed zij de twee kamers achter, haalde boodschappen, kookte het middageten. Zij had medelijden met Deemster, man alleen: zijn vrouw was al jaren dood, zijn volwassen dochter liet zich niets aan hem gelegen liggen. Zwerfkat, doerak, schold Rie in stilte. Uit aangeboren gulle bereidheid tot ordenen en zorgen bleef zij meestal langer dan de afspraak was. Zij waste en streek nog even vlug Deemsters overhemden en ondergoed, hield hem gezelschap bij een kop thee of soms een glaasje. Wat er tenslotte gebeurde, had zij altijd min of meer verwacht. Trouwens, wat was het helemaal, een verhouding kon je zoiets niet noemen. Die Deemster, om te zien een grote grove kerel, was zo mak als een lam in haar armen, net een klein kind, zijn zoenen leek op het tegelijk driftige en hulpeloze sabbelen van zuigelingen. Kinderen waren Rie Rampers zwakke plek, kinderen kon zij niet weerstaan. 'Ja, zoet maar,' zei zij wel eens, het ontsnapte haar vanzelf, terwijl zij hem streelde en heen en weer wiegde aan haar borst. Hoorde zij hem later tekeergaan tegen de loopjongen of opzettelijk deftig spreken met klanten, dan moest zij een beetje lachen. Die glimlach bleef, zelfs wanneer hij haar in het bijzijn van anderen ruw en autoritair als de werkster behandelde: 'Hier, dit... hé, zeg es even, dat...' en zij dan onderdanig: 'Ja, meneer' en 'Nee, meneer', net echt. Alleen wanneer die dochter van hem, die Stans, erbij was vond zij het vervelend, maar zij durfde niet te protesteren. Zij achtte Stans in staat naar Egbert te lopen met kletspraatjes. En voor haar man was Rie Ramper als de dood. Zij wist eigenlijk niet waarom. Egbert Ramper was wat men noemt een mooie jongen, niet groot, maar gespierd, met verende gang, een kop met dik donker krullend haar, bakkebaarden langs de oren. In de eerste jaren van hun huwelijk had hij in een cafetaria gewerkt, nu stond hij in een eigen zaak met patat en kroketten op de Zeedijk. Hij was financieel geholpen door een vriend uit zijn diensttijd. Die had daar nu in de buurt vrouwen zitten en reed in een luxewagen, louter chroom en glanzend lak, vanbinnen bekleed met namaak pantervel onder hoezen van plastic. Als Sjors met Egbert zaken te bespreken had, kwam hij met die wagen bij hen voorrijden. Rie wist wat de buren dachten, zij schaamde zich. 'Laat Sjors lopen, betaal je schuld af, ik ga ook uit werken,' had zij gezegd, nadat Egbert en zij er eerst dagenlang heibel om gehad hadden, 'ik wil voor de kinderen niet dat die vent hier komt.' Egbert had haar links en rechts om haar oren geslagen – hij was hardhandig – maar zich niet verzet toen zij bij Deemster ging schoonmaken. Sjors vertoonde zich niet meer bij hen thuis. Zij had dat opgevat als een teken dat het met die omgang afgelopen was. Later kwam zij erachter dat haar man zijn vriend ergens anders ontmoette, in bars en cafés en in het huis waar Sjors' vrouwen voor de ramen zaten. Gillend verweet zij hem dat hij het met hoeren hield, god weet was hij zelf wel pooier, zij nam dat niet, zij wou niet van de schande leven, zij zou met de kinderen weggaan.

'Flik me dat, dan ben je de kinderen kwijt, kijk de wet maar na,' zei hij ijskoud, ervan overtuigd dat zij dit nooit zou doen. Zij geloofde hem en stond te trillen op haar benen. Zij schold zichzelf uit voor laf en mal omdat zij bleef bij een man die haar sloeg, en voor wie zij die redeloze angst koesterde. Maar de kinderen mochten hun vader niet verliezen, dat stond voorop. De kinderen moesten altijd kunnen zeggen dat zij groot geworden waren in een gezin bij hun eigen ouders, in een huis waar het hun aan niks ontbroken had. Ook toen zij riep dat zij van Egbert weg wou, vóór hij haar de mond gesnoerd had met zijn dreigementen, had zij niet geweten waar zij dan met haar kinderen heen had moeten gaan. Onder geen voorwaarde terug naar haar ouders, die niet gewild hadden dat zij met Egbert trouwde. Haar vader, altijd een harde werker, een geestdriftig politiek bewust vakbondslid, had Egbert vanaf de eerste dag van hun verkering een onbetrouwbare slampamper genoemd. 'Als je hém neemt, kom je hier de deur niet meer in.' Zij hád hem genomen, eigenlijk tegen beter weten in, zij kon niet tegen Egbert op, als hij iets wilde deed zij het. 'Je gaat je ondergang tegemoet,' had haar moeder gezegd, 'let op mijn woorden, jullie komen terecht bij de asocialen, je eindigt nog in de krotten.' In de buurt waar Rie nu woonde, had je van die gevallen. Diep bewogen was zij met het lot van de – voor het merendeel kinderrijke – gezinnen, die in krotten en op zolders of in wrakke woonschuiten huisden. Haar medelijden had de kleur van haar heimelijke angst. Zij hoorde de verhalen die in haar straat de ronde deden, over zolders met kartonnen schotten tot woonruimte vertimmerd, zonder waterleiding of gas, over zieke oude mensen en kleine kinderen samengeperst in kamertjes waar ternauwernood een bed kon staan, over bevallingen in vochtige kelders, kinderen die nacht na nacht in de buurt werden uitbesteed om bij vreemden op een matras in gang of alkoof te slapen, over de alleenstaande vrouw die overdag als zij uit werken ging haar achterlijke jongen alleen moest laten in een donker hok. Toen Egbert haar op een goede dag een lijst in de handen drukte en haar opdroeg handtekeningen te verzamelen voor een actie 'Beter Wonen voor Allen', begon Rie zich onmiddellijk uit te sloven. Dat was oprechte hulpvaardigheid, maar ook een vorm van magie: zonder het zich helder bewust te zijn trachtte zij een naamloze dreiging op een afstand te houden. Zij belde huis aan huis in de buurt en verzamelde zo tientallen adhesiebetuigingen. Maar haar man bleek bij nader inzien niet tevreden. 'Waardeloos,' zei hij toen zij hem de lijst overhandigd had. Hij keek niet eens naar de namen. Op haar vragen gaf hij ontwijkende antwoorden. Zij begreep dat hijzelf alleen maar zijdelings bij de zaak betrokken kon zijn, hij was ook onzeker. Later kwam hij met adressen, van louter bekende mensen. Zij verzette zich: 'Daar durf ik niet naartoe!', maar Egbert kende geen genade. De wagen van Sjors reed weer voor op een avond, zij moest er instappen, haar man en zijn vriend brachten haar waar zij wezen moest. Op hoeken van straten en grachten werd gestopt, en terwijl die twee uit de verte toekeken, ging zij aanbellen bij dokters, advocaten, toneelspelers, sportfiguren, met haar lijst en het toespraakje dat zij onder Egberts leiding uit haar hoofd had geleerd, over een crepeergeval: man, vrouw en zes kinderen in een kelder waar de ratten 's nachts aan de voetjes van de zuigeling kwamen knagen... Tenslotte wist Rie niet meer of dit werkelijk waar was of niet. Zij geloofde het, zij was erbij geweest, zij had het zelf gezien. De tranen liepen over haar gezicht wanneer zij het vertelde. Soms kwam zij ineens met een schok tot het besef van het vreemde, griezelige in wat zij deed. Er gebeurde iets met haar, zij wist niet wat, zij kon zich niet bevrijden. Eerst had zij nog een tijdlang gehoopt dat Deemster haar misschien zou kunnen helpen. Als het ogenblik gunstig leek, probeerde zij hem wel eens het een en ander te vertellen. Maar zij begreep algauw dat Deemster geen aandacht had voor iets of iemand behalve zichzelf. Haar zorgelijkheden gingen zijn ene oor in, het andere uit. Bleef zij aanhouden, dan begon hij ineens op verongelijkte toon te praten over alle ellende die hij te verduren had, met zijn dochter, zijn zaak, zijn financiën, onrechtvaardige behandeling in heden en verleden... Dan gaf Rie Ramper het op. 'Ja, zoet maar,' zei zij werktuigelijk. Zij kende die verhalen al. Zij koesterde hem in haar armen, hij was een lobbes, maar zij had niets aan hem, zij stond er alleen voor. Zij werd koud en bang vanbinnen. Zij begreep de dingen niet meer. Hoe kon haar man zich afgeven met schorem als die Sjors en zich tegelijk inspannen voor arme stakkers? Hoe kon hij zijn zakken vol bankpapier hebben – zij had het gezien – en toch zijn vrouw van haar eigen weekloon voor het huishouden laten zorgen? Plotseling besefte zij hoe wankel haar bestaan was. Niets was in werkelijkheid wat het leek. Rie begon wantrouwend en schichtig te worden. Er waren dagen dat zij bezeten van een blinde angst dat er iets gebeurd kon zijn twee-, driemaal de buurvrouw opbelde die voor haar kinderen zorgde als zij er niet was. Zij kreeg ook steeds meer haast met naar huis gaan, tot ergernis van Deemster. Liep zij door de straten, waar het natte asfalt zwart water leek en de lichten van de winternamiddag zowel boven haar hoofd als onder haar voeten bewogen, terwijl het verkeer van het spitsuur aan haar voorbij daverde, dan wist zij soms niet meer of zij bij haar thuiskomst alles zou terugvinden zoals zij het achtergelaten had, of haar kinderen haar gezond en opgewekt in de armen zouden vliegen, zich zouden laten liefkozen en verzorgen. Erger was het dat noch de heelhuidse aanwezigheid van haar kinderen, noch de ongeschonden staat van de dingen in haar huis haar konden geruststellen als zij eindelijk binnenkwam. Zo had je het, zo was je alles weer kwijt. Van de ene dag op de andere kon je alleen en berooid en machteloos in een onherkenbare wereld terechtkomen.

De clichéfabriek lag naast de bouwput als aan de rand van een ravijn. Een schutting onttrok het brede diepe gat aan het oog van degenen die over het trottoir liepen, maar de palen van de heimachine torenden daarboven uit, hoger dan de bomen langs de gracht. Leonard keek door een spleet tussen de planken. Het heiblok viel ritmisch dreunend omlaag, de straatstenen waarop hij stond trilden. Hij liep de werkplaats binnen. De muren en de vloeren trilden ook. De ramen rinkelden zachtjes, onophoudelijk. Tussen de stopgezette machines kwam de baas naar hem toe door het kleine lokaal.

'U hoort het, u voelt het zeker wel, meneer. Probeer daarbij maar eens precisiewerk af te leveren. Ik kan zo geen orders uitvoeren. Mijn mensen verdommen het, en ze hebben gelijk, het is geen doen.'

Leonards eerste opwelling was te zeggen: 'Nee, dit gaat werkelijk niet, dit is te gek', maar hij hield zich in en schudde alleen even zijn hoofd. De man bleef hem met vermoeide blik aankijken.

'Ik kan dit zo niet hebben. Niet de hele dag, niet elke dag, en voor hoe lang... Het is gewoon broodroof, meneer. Dat doe je een ander mens toch niet aan. Dan kan er toch eerst gepraat worden over een regeling. Ze kunnen toch minstens van tevoren met je komen overleggen. Als ik hier een groot bedrijf had gehad, meneer, denkt u dat die heren het lef gehad zouden hebben te gaan breken en bouwen zonder overleg? Al is het tienmaal hún grond, hiernaast? Maar mijn zaak is een zaakje van niks, vergeleken bij een nieuw groot toeristenhotel. Vóór de zomer moet het klaar zijn, zeggen ze. Dat is nog zes maanden. Voor die tijd ben ik al kapot.'

'We zullen zien wat eraan gedaan kan worden,' zei Leonard rustig.

'Kijk eens, meneer, u bent advocaat, u hebt rechten gestudeerd, u kent de wetten, zoals ze in het wetboek staan. Ik zal niet beweren dat ik verstand van die dingen heb. Maar zoveel heb ik er wel van begrepen, dat een massa van die wetten niet passen voor het gewone leven van mensen zoals ik. De wet kan om zo te zeggen honderd keer gelijk hebben, en toch ligt het in werkelijkheid anders. U hebt geleerd hoe u moet scharrelen om te maken dat de wet op de werkelijkheid past. Dat is uw vak, daar wordt u voor betaald.'

Leonard boog zijn hoofd achterover en keek glimlachend naar het plafond. 'Zo eenvoudig is het niet.'

'Och meneer.' De man haalde gelaten zijn schouders op. 'Dat kan u nou wel zeggen. Als regel is dat toch zeker zo? Misschien bij u niet, nee, en bij meneer Hazekamp ook niet, dat weet ik, die loopt zich het vuur uit zijn sloffen zelfs voor zijn pro-Deoklanten. U bent een fatsoenlijk mens en u zal wel een goeie jurist zijn ook. Maar denkt u nou dat u een schijn van kans hebt tegen die daarnaast? Die advocaten van hún verdedigen een zaak waar naar mijn mening nog niet voor dit gelijk in zit (hij knipte met zijn vingers), en toch zullen ze het winnen, dat geef ik u op een briefje. Formeel staan ze in hun recht, in de wet is niks te vinden waaruit blijkt dat zij ongelijk hebben. Kijk, de wet beschermt mij zogenaamd tegen onrecht en overlast. Mooie woorden, meneer. De wet beschermt lui zoals die daarnaast. Blijf met je vingers van m'n centen af, sta me niet in het licht, daar gaat het om, en anders niet. Vanwege de deviezen is er een duur hotel nodig voor dure vreemdelingen, nou, dan komt het er ook. Het toerisme is een grote industrie. Dat wordt belangrijk gevonden door iedereen die ermee te maken heeft, de gemeente, de aannemers, de zakenlüi. De hele kluit verdient eraan. Kijk meneer, dat is nou het recht, zíj hebben gelijk. Jawel, ze zullen rekening houden met mij en met die paar jongens die ik in dienst heb. Pesten komt er ook nog bij, omdat ik het verdomd heb hier weg te gaan. De heren hadden graag dit pand ook afgebroken, dan hadden ze hun zaak kunnen doortrekken tot het gebouw hiernaast aan de andere kant. Maar ik heb hier m'n hele leven gezeten, ik heb m'n klanten in deze buurten, en m'n huis twee straten verderop, m'n vader heb hier z'n werkplaats al gehad vóór ik geboren was. U bent niet redelijk, zeggen ze, er valt met u niet te praten. Wat ze bedoelen is: je bent lastig, maak dat je wegkomt. En omdat ik dat vertik proberen ze me nu het brood uit de mond te heien.'

Leonard maakte een rondgang door de twee lokalen en de bergruimte daarachter. Het zachte rinkelen en rammelen rondom hield aan, echo van de ritmisch dreunende ploffen in de bouwput.

'Zie het niet te somber in,' zei Leonard. 'Er moet toch een schikking mogelijk zijn.'

De ander liep moedeloos langs hem heen om de deur open te houden.

'Ik weet wel dat meneer Hazekamp het niet gauw zal opgeven, die doet wat hij kan. Een prachtvent is dat. Ik ken hem al lang. Hij heeft me vaak werk bezorgd, me gerecommandeerd. Als advocaat heeft hij een goeie naam onder de mensen hier. Ga naar Hazekamp als je in de beroerdigheid zit, hoor je altijd. Het zal niet aan hem liggen als ik m'n recht niet krijg.'

Hij deed een stap terug in de schaduw van het voorhuis. Leonard drukte hem de hand en ging de stoep af. Op de terugweg bleef hij opnieuw staan om door een spleet in de schutting naar het bouwen te kijken. Vlak bij hem was een man bezig stenen, stukken hout, ondefinieerbare afval, in de laadbak van een vrachtwagen te scheppen. Dat ze niet met een bouwexploot gekomen zijn, is gek, dacht hij. Een verzuim, erger, een fout van hun kant. Bovendien bestaan er toch andere heimethoden tegenwoordig, die minder gedreun veroorzaken. Natuurlijk hebben ze dan meer kosten. Hazekamp zal geen vergelijk willen, waardoor die ouwe baas van hiernaast op hogere lasten komt te zitten. Voorzover ik Hazekamp ken...

Het had Leonard moeite gekost eraan te wennen dat Hazekamp en Valerius een en dezelfde persoon waren. In de fletse, wat geposeerde, opzettelijk ouderwets geklede en optredende advocaat kon hij niets terugvinden van de man die hij in de eerste twee jaar van de oorlog nu eens hier, dan weer daar bij een van de andere leden van de Valerius-groep had ontmoet, een man wiens gezag onaantastbaar was, die hen allen in de ban bracht van zijn kalme, licht ironische zelfverzekerdheid. Die Valerius bestond, wonderlijk genoeg, voort in het beeld dat mensen als de clichémaker van Hazekamp hadden. Het vooruitzicht Hazekamp nu te assisteren bij deze zaak, vervulde Leonard plotseling met een zweem van de bereidwilligheid en voldoening die hij vroeger gekend had, toen de gezamenlijke actie onder Valerius' leiding voor hem een onontbeerlijk tegenwicht had gevormd tegen de vormeloze voze sfeer in het huis van zijn ouders. Maar juist aan die sfeer, die façade, herinnerde mr. Emile Hazekamp hem tegenwoordig dikwijls, meer dan Leonard lief was. Nu, starend in de bouwput, met achter zich de clichéfabriek die langzaam maar onverbiddelijk uit haar voegen getrild werd, was hij weer geneigd Valerius' metamorfose in een vale oude heer met tics en geaffecteerdheden als een van vele mogelijke vermommingen te beschouwen. Het mengsel van loyaliteit, ergernis, respect en twijfel waaruit zijn instelling ten opzichte van Hazekamp bestond, drong zich kwellender dubbelzinnig aan Leonard op sinds zij te maken hadden gekregen met de zaak in A. Herinneringen werden weer levend aan meningsverschillen en misverstanden binnen de illegale groep, aan zijn eigen discussies met Valerius, toen. Tot gehoorzaamheid en ondergeschiktheid in een geheel, dat een gezicht voor hem had, al overzag hij het niet, was hij natuurlijk altijd bereid geweest, níét tot blindelings uitvoeren van onverschillig welke opdracht. De liquidatie van Hölmann had Leonard met kille weerzin vervuld. Hij wist om wie het ging, hij vond de man in kwestie een karakterloze schoft – maar de gedachte dat hier abstract, als betrof het het afstellen van een machine, tot in kleinste onderdelen het doden van een mens beraamd was, die zij geen van allen persoonlijk kenden en die niet gehoord was, gaf hem een gewaarwording van onlust en grenzeloze onwerkelijkheid. Hij trachtte zich te verplaatsen in de gemoedsgesteldheid van degeen of degenen (hij wist niet wie) aan wie de taak was toegewezen de aanslag te plegen, en gaf zich er rekenschap van dat hij het niet gedurfd zou hebben – niet om het gevaar voor eigen leven dat eraan verbonden was, maar uit angst dat hij, op het beslissende moment, met een nietsvermoedende weerloze man voor ogen, niet had kunnen schieten of toeslaan. Maar hadden er ten aanzien van Hölmann in de gegeven omstandigheden andere maatregelen genomen kunnen worden? Degenen die onmiddellijk bij de aanslag betrokken waren geweest, hadden ongetwijfeld orders gekregen waaraan niet te tornen viel. Leonard verachtte zichzelf om zijn twijfel, maar hij kon niet anders.

Toen bleek dat hem een indirecte rol in de onderneming was toebedeeld (hij moest na de aanslag een van de betrokkenen tijdelijk onderdak verlenen, in het huis van mr. Doornstam zou men niet zoeken), werd hij gekweld door weer nieuwe gewetensbezwaren. Terwijl Leonard in het geheim zijn gast op zolder herbergde (welke rol deze jongeman in de zaak vervuld had wist hij niet, het hoorde tot de code daar ook niet naar te vragen) liep hij zelf rond met het probleem of het al dan niet de plicht van de daders was zich aan te geven. Op de ontdekking van Hölmanns dood waren onmiddellijk represailles gevolgd. Er waren mensen gearresteerd die niets met de aanslag te maken konden hebben, er was gedreigd met scherpere maatregelen. Leonard kon geen vrede hebben met het zwijgen van de onbekenden – misschien uit zijn groep, misschien niet – die dit standrechtelijk vonnis voltrokken, en zich, naar zijn mening, daardoor vrijwillig buiten de normale orde der dingen geplaatst hadden. Hij sprak erover met Valerius, die kortaf antwoordde: 'Het is oorlog. Die het gedaan heeft, zou zich zelfs niet kunnen melden, die is eens en voor altijd tegen dergelijke opwellingen beschermd.'

'Hoe?'

'Niet meer te vertrouwen, volkomen overstuur, en dus tot zwijgen gebracht. De hele groep, en nog veel meer dan de groep, liep gevaar.'

'Tot zwijgen gebracht?'

'Tot zwijgen gebracht.'

Wat Leonard vermoedde, wat Valerius aanduidde, bleef onuitgesproken. Achter dat onuitgesprokene opende zich een afgrond. Leonard stond onbeweeglijk, voor het eerst onwillig Valerius' gezag te aanvaarden, en toch niet bij machte vragen te stellen, te protesteren. Meer dan ooit tevoren was hij zich bewust van eigen medeverantwoordelijkheid voor het gebeurde. Hij voelde hoe het Valerius op de tong lag hem, Leonard, te wijzen op die medeplichtigheid, op het nuanceverschil tussen het doden zelf en het gezamenlijk beraad vooraf. Maar dat beraad wás niet volledig geweest. Op de bodem van Valerius' waakzame blik schemerde iets hard en vlak als steen.

Niet lang daarna was Leonard er in ernst over gaan denken een vluchtpoging naar Engeland te wagen. Tot zijn heimelijke verwondering bleek Valerius dadelijk bereid hem te helpen aan papieren en contactadressen op weg naar de Pyreneeën. Als meester en volgeling, méér, als vrienden, hadden zij afscheid van elkaar genomen. Dat ten gevolge van nooit opgehelderde misverstanden en verscherpte controle Leonard in Portugal de oorlog had moeten uitzitten, was door niemand méér betreurd dan door Valerius, toen hij het na de bevrijding vernam.

De metamorfose tot mr. Emile Hazekamp had toen al plaatsgevonden. Het heertje met zijn pince-nez en slobkousen waarde als een fletse beschermengel rond op de achtergrond van de door Leonard in allerijl toch maar begonnen rechtenstudie. Na zijn doctoraal had Leonard de hem vriendschappelijk aangeboden medewerkersplaats op Hazekamps kantoor zonder bedenken geaccepteerd. Hij was blij dat hij buiten zijn vader en diens invloed om aan de slag kon komen. Tijdens het gedwongen verblijf in Portugal was hij zijn ervaringen in de Valerius-groep met andere ogen gaan bekijken. Hij herinnerde zich toen vooral graag het geslaagde gemeenschappelijke handelen, het gevoel van solidariteit, het besef zinvol ingeschakeld te zijn. Hij had met Hazekamp over dat verleden willen spreken, nog eens, nu vanuit zijn nieuwe standpunt, vragen willen stellen, bepaalde dingen onder de loep willen nemen. Op die momenten merkte hij met verbijstering dat Hazekamp een ander was dan Valerius. Het verschil was soms zo groot dat Leonard zich afvroeg of hier geen sprake was van een mystificatie. De altijd vermoeide, verstrooide, vaak kribbig-eenzelvige Hazekamp ontweek dergelijke gesprekken. In de loop der jaren was Leonard gewend geraakt aan de verschijning en het optreden van zijn oudere confrère. Van tijd tot tijd gaf hij zich er wel rekenschap van dat hij Hazekamp eigenlijk niet mocht. Maar kénde hij Hazekamp?

Als kind had Leonard zijn ouders altijd beschouwd als wezens van een andere orde. Zij waren volwassenen par excellence, geabsorbeerd in een bestaan met uiterst ingewikkelde spelregels. Er was geen enkele verstandhouding mogelijk tussen hun bestaan en het zijne. Zijn ouders interesseerden zich niet voor wat hem bezighield, en hij begreep niets van de dingen die hun gedachten vervulden. Zijn wereld, dat was de kamer op zolder, grenzend aan het dakplat, met uitzicht op de achtergevels van de huizen aan de Prinsengracht en de kerktoren, de loofkroon van de oude beuk; zijn wereld, dat waren de hanenbalken en het salamanderkacheltje, zijn grote tafel op schragen, de geur van de goudrenetten die op zolder bleef hangen, ook in de zomer, wanneer er geen voorraad appels op de rekken lag, het was die hele sfeer van veilig, ongestoord zijn, met diep in het benedenhuis de geluiden van de keuken en het advocatenkantoor en het verkeer op de gracht. Door het raam viel koel klaar licht binnen. Alles was daar bij hem heel anders dan in de wereld van zijn vader en moeder; die begon onderaan de zoldertrap: de gangen met lopers, de grote kamers vol donkere meubels en schilderijen en Delfts blauw en zware gordijnen, en nog lager, op de bel-etage, de marmeren vestibule met de muurfontein en achter de glazen deur de gang met de kabinetjes en de transparanten en de reeks kantoorvertrekken van zijn vader, waar alle muren schuilgingen achter kasten vol boeken. Het souterrain met keuken en bijkeuken en de kamer van de meisjes scheen hem daarentegen weer vertrouwd, vooral ook omdat hij altijd langs die weg de tuin in ging en maar zelden via de houten trap van de serre, die zijn moeder gebruikte.

Het enorme leeftijdsverschil tussen hem en zijn ouders was pas in volle omvang en betekenis tot hem doorgedrongen toen hij al op het gymnasium was. Die grijze dame achter de theetafel, die gesoigneerde bejaarde heer aan het bureau, waren niet zijn grootouders, maar zijn vader en moeder. Over zijn hoofd heen gingen altijd weer dezelfde gesprekken betreffende processen en officiële gelegenheden, geldzaken, familiekwesties waar mensen bij betrokken waren die hij nooit gekend had, of die hij zich nauwelijks kon herinneren omdat zij al zo lang dood waren. Alles bij hem thuis stamde uit een veel verder in het verleden liggend tijdperk dan bij zijn schoolvrienden, vanaf het peper-en-zoutstel in de vorm van een zilveren kudde tot aan de ouderwetse hoge rijglaarzen en het mondwater van zijn vader, en de encyclopedische kennis betreffende 'hoe hoort het eigenlijk' van zijn moeder. De jongens met wie hij omging – veel vrienden had hij overigens niet – vonden zijn ouders deftig en streng, en ook vreemd en onwezenlijk als mensen uit een vorige eeuw. Leonards broer en zuster waren al volwassen, hadden een eigen gezin, toen hij nog op school ging. Zij woonden niet in de stad, hij zag hen zelden, alleen op de verjaardagen van zijn ouders en met Kerstmis en oud en nieuw. Hun aanwezigheid veranderde niets. Zij spraken met evenveel animo mee over beleggingen, verkoop van huizen, hypotheken, over subtiele voorrangskwesties bij begrafenissen of bruiloften, over familieleden en kennissen, over de misverstanden en meningsverschillen die er eeuwig en altijd aan de orde schenen te zijn onder verre bloedverwanten in Den Haag, Arnhem of Zeist. Leonard zat er zwijgend en verveeld bij, hij had er niets mee te maken, en hij was te groot om met de kinderen van zijn broer en zuster te spelen. Zijn leven lang zou hij weerzin blijven koesteren tegen een 'familiekring', thee- en koffiedrinkend in de salon, of verzameld rond een dinertafel. De geuren van dennengroen, tulpen en wildbraad herinnerden hem zo onweerstaanbaar aan die gehate sfeer dat hij – tot verdriet van Digna, Dorit en Casper – deze en dergelijke feestattributen in zijn eigen gezin niet duldde.

Aan dit alles had hij vroeger alleen soms kunnen ontsnappen tijdens de pianolessen van meneer Diem en later in het contact met Sera. Met de wat sjofele, stille bruingrijze man kwam er een adem van muziek het huis binnen, iets wat naar vrijheid rook. Het was maar een indruk, zo vaag dat Leonard zich soms wel eens afvroeg of hij het zich alleen verbeeldde – want aan meneer Diem zelf was niets meeslepends te zien of te horen. Een enkele maal, als hij speelde op een muziekmiddag van Leonards moeder, of zomaar even na de les (om de mooie vleugel onder zijn handen te voelen, zoals hij zei), klonk dat andere soms helder op onder de noten, zegevierend of brandend van verlangen, dan wist Leonard dat hij zich niet vergist had. In Sera had hij datzelfde gevonden, maar bij haar uitte het zich in haar manier van zijn, in iets wilds en stromends, als water of loof in de wind. Het was een innerlijke kracht, een taaiheid als van de natuur, die alles verdraagt en op den duur overwint. In het schrale lichaam van meneer Diem woonde iets wat tegenslag en armoede niet konden aantasten; hij ging rustig zijn gang, in wezen ongebroken, bescheiden en stipt, maar niet geïmponeerd door de nadrukkelijke minzaamheid van Leonards ouders. Leonard kwam een enkele keer wel eens bij Diem thuis, om een les in te halen, een vergeten muziekboek aan te reiken... Gewend aan de ruimte en orde van het huis aan de Keizersgracht voelde hij zich daar bij Diem in het donkere, muf ruikende trapportaal, in de rommelige voorkamer, als in een vreemd element. Er was geen grotere tegenstelling denkbaar dan tussen het koele decorum van zijn ouders en de slordige huiselijkheid in het gezin van de musicus. De vrouw met haar vergrijsde warrige haar die vaak doelloos de kamer in en uit liep, soms ook stil aan tafel zat met het hoofd in de handen, joeg hem eerst angst aan. Hij gedroeg zich zo beleefd en vriendelijk mogelijk om te verbergen dat hij zich schaamde. Felle loyaliteitsgevoelens – die hij echter niet uiten kon of wilde – bonden hem aan Sera, die zonder protest leefde en groeide met het onvermijdelijke. Zij boog mee met de stroom en de wind, haar ogen bleven blinken, zij lachte graag en gul, geen haar werd haar gekrenkt. Om zo te kunnen leven, moet een mens heel trots en sterk of heel onbewust zijn, dacht Leonard toen. Omdat hij Sera meende te kennen, wist van haar snelle belangstelling, hoe haar gedachten als kwikzilverig vissen op onderzoek uitgingen, hield hij het op het eerste. Trots en sterk, vrij en niet te vangen, dat was wat hij ook wilde zijn. Later in zijn leven, toen hij er zich van bewust geworden was dat bepaalde maatstaven van rechtvaardigheid en onkreukbaarheid het bij hem wonnen van kracht en trots, begon hij ook Sera's vitaliteit anders te beschouwen. Zij weet níét wat zij doet, dacht hij soms. Na zijn eindexamen verklaarde hij tot bevreemding en misnoegen van zijn ouders dat hij archeologie wilde studeren. Hij dacht aan landschappen ver weg, bergen, vlakten en woestijnen, aan stilte en ruimte, de vrijheid van een leven met een minimum aan bezit en comfort. Wat hem lokte was het geduldige moeizame achterhalen van voorbije werkelijkheid, waarheid van vroeger, uit een handvol scherven en brokstukken. In die resten, in wat níét verloren gegaan was, waren misschien kiemen van de toekomst te vinden. De oude tekens zouden hem kunnen helpen het heden te determineren. Eigen heden en toekomst hadden voor Leonard geen gezicht. Hij leefde, hij werkte, at en sliep, de dagen volgden elkaar op. Van zijn verleden, het Doornstam-verleden, was hij zich voortdurend bewust, hij kon er niet aan ontsnappen al wilde hij het, het huis waar hij was opgegroeid was er vol van. Tegen de regels en normen van zijn omgeving in had hij zijn eigen sobere, schrale maar heldere code ontworpen; zolang hij zich daaraan hield, had hij een vorm. In een smalle broze boot voer hij over de oceaan. Die boot was zijn redding, die moest hij behouden, versterken. Bovenal wilde hij de zee kennen, de stromingen leren begrijpen. Maar hij was bang, en in die angst geneigd tot zelfbedrog. Hij geloofde dat hij het chaotische nu en hier zou kunnen overzien, de nevelige toekomst zou kunnen doorgronden door zich zo ver mogelijk van beide te verwijderen in aandacht voor het verleden; niet het zijne, het individuele, maar dat van de wereld waarin hij leven moest. Het scheen hem dat hij alleen zó, eens, ergens, het nameloze en vage dat aan alle kanten zijn bestaan omringde, en zijn 'ik' bedreigde, tastbaar vóór zich zou zien om het te kunnen onderzoeken en er desnoods de strijd mee aan te binden.

Zijn vader praatte lang met hem, aanvankelijk gebiedend en verbiedend, tenslotte geduldig argumenterend; stelde voor dat Leonard eerst rechten zou studeren, dan was zijn toekomst verzekerd, hij kon altijd later nog voor zijn genoegen... Leonard volgde de gedachtegang, vulde het onuitgesprokene aan: was hij eenmaal jurist dan kwam hij vanzelf vast te zitten op een advocatenkantoor, aan een rechtbank of in een bedrijf. Onmerkbaar zou hij verstarren binnen een patroon, vrijwel identiek aan dat van de levens van zijn vader, broer en zwager. Het Doornstamverleden zou hem in een Doornstam-toekomst dwingen. Hij gaf niet toe, hij bleef zijn vader zwijgend aankijken. Ik ben niet hier, dacht hij; hij zag de oude heer achter het bureau machteloos gebaren in een betoog dat de glazige luchtlaag tussen hen niet doorboren kon. Leonard stelde zich buiten bereik; hij wist niet hoe hij dat deed, misschien had hij er zelf part noch deel aan, was het zijn natuurlijke reactie op pogingen hem te dwingen of te beïnvloeden. Zo lang hij zich herinneren kon had een bepaald gedachteloos autoritair optreden van zijn vader in hem die beweging van terugtrekken veroorzaakt. Hij voelde altijd dat ook zijn vader dan besefte dat hij geen vat op zijn zoon kreeg.

Na verloop van tijd bleek Doornstam bereid tot een concessie: Leonard kon, als hij dat dan met alle geweld wilde, eerst een jaar of twee zijn 'violon d'Ingres' bespelen: 'Je bent pas zeventien, eigenlijk nog te jong voor corpsleven, en ík heb trouwens vroeger óók mijn Wanderjahre gekend,' zei zijn vader, met toegeeflijke ironie zijn schouders ophalend over deze eigen periode van jeugdige vrijheidsdrang.

Twee dingen hinderden Leonard: dat zijn vader zich op de een of andere manier verantwoordelijk scheen te achten voor zijn neiging – alsof het een in de familie erfelijke zwerflust betrof – en ook dat er bij hen thuis van werd uitgegaan dat dit een tijdelijke kwestie zou zijn, de afronding van zijn gymnasiumtijd, een vormingsreis voor een jongeman van goeden huize volgens de beste westerse tradities. Want een reis zou het worden: Leonard wilde aan een buitenlandse universiteit colleges lopen en de kans krijgen op practica bij opgravingen, zo ver mogelijk weg. Zijn broer en zuster vonden het hele plan belachelijk, en gaven als hun mening te kennen dat Leonard verwend werd omdat hij eigenaardig was, en dat hij eigenaardig geworden was omdat hij als nakomertje te vaak zijn zin gekregen had. Leonard zweeg tijdens alle discussies. Hij nam zich voor zijn eigen gang te gaan. Zij zouden wel merken hoe hij het bedoelde. De reis was het begin van een poging tot afstand, en hij wist al dat er geen sprake zou zijn van 'tijdelijk'.

Het uitbreken van de oorlog maakte een eind aan de voorbereidingen tot zijn vertrek. Nieuwe, oneindig veel gecompliceerdere beperkingen werden hem opgelegd, hij was omringd, omsingeld, door grotere gevaren dan die van zijn ouders en zijn milieu. Het contact met de verzetsgroep van Valerius gaf hem een tijdlang het gevoel toch zijn eigen lot in handen te houden, zelf beslissingen te nemen. Risico nemen betekende beslissen, en dat is vrijheid. Het feit dat zijn broer zich in de bezettingsjaren niet principieel toonde, en dat zijn vader tot concessies bereid bleek ter wille van zijn eigen positie en de promotie van zijn oudste zoon, stijfde Leonard nog in die houding.

Eigenlijk verafschuw ik Roduman, dacht Hazekamp, aan een rustig achtertafeltje gezeten in het restaurant waar hij gewoonlijk zijn lunch gebruikte. Hij schoof een paar moten vis van het schaaltje op zijn bord en liet er behoedzaam dikke gele saus overheen vloeien. Een mens die van louter idealisme materialist geworden is in een wereld die van irrationele verlangens naar de verschrikkelijke genade Gods en van even irrationele angst voor de zogenaamd 'onmenselijke' techniek aan elkaar hangt. Niet alleen de dialectisch geschoolde propagandist op ieder niveau, maar ook een soort van Prometheus, die de stervelingen het heil zou willen brengen, dwars tegen lot en goden in, volgens een systeem waarvan hijzelf de beperktheid niet inziet. Ik ben een lucide mensenhater, groter pessimisme dan het mijne bestaat er niet. De geëmancipeerde geest is volkomen goddeloos. En toch zou ik mijn leven willen geven voor arme stakkers, voor de vervolgden en verdrukten dezer aarde. Hij glimlachte boven zijn bord, merkte dat de in zijn nabijheid tegen een console-met-palm leunende dienster dit zag, en bestelde haastig, met de mimiek van wie zich goedgehumeurd van een vergissing bewust wordt, een halve fles witte wijn.

Ook Roduman moet het compromis aanvaard hebben, ook hij gehoorzaamt aan ondoorgrondelijke bevelen, omdat hij gelooft dat daardoor het doel dat hij nastreeft dichterbij komt. En juist daarom ben ik bang voor hem. Maar wát vrees ik dan? Zijn maatregelen en optreden buiten mij om, die ik niet berekenen en controleren kan. Ik zou me van hem willen losmaken, maar ik weet te goed dat ik aan hem gebonden ben. Hoe, waarom? Eerzucht en perversiteit – o ik ken mezelf – brengen mij ertoe de dodendans van de cultuur waartoe ik hoor te willen leiden. Door Roduman voel ik mij betrokken bij de laatste, grootste daad van protest, die mijn wereld de genadeslag zal geven. Maar híj gelooft dat uit het puin een andere, zindelijker samenleving zal verrijzen, en ík zeg met Valéry: 'Rien, rien, rien.' Roduman schakelt mij in bij de onvermijdelijke ondergang, waar geen opstanding op zal volgen, maar dat beseft hij niet. Alleen... in de praktijk van onze samenwerking leggen mijn scepsis en genuanceerder denken het af tegen zijn doelbewuste eenzijdigheid. De man is zo weerzinwekkend efficiënt. Alleen al de manier bijvoorbeeld waarop hij zijn façade, zijn rol als literator met alles wat daar zo bij hoort, opbouwt en instandhoudt... De vrouw van Doornstam doorziet hem bepaald niet. Zij is veranderd in die paar jaar dat ik haar niet ontmoet heb, minder fris, gedempter zou ik zeggen, voorzover ik dat beoordelen kan op grond van één enkele blik uit Rodumans raam. Gretige ogen had zij vroeger, een vitaliteit die mij ergerde. Als vrouw niet primitief, niet kinderlijk, niet animaal, ik weet eigenlijk niet wat wél. Een onbepaald stromend wezen, toch niet ongevaarlijk, omdat zij ook intelligent is. Misschien te hanteren, misschien niet. Roduman verwacht er niet veel van. Mijn advies aan hem vanochtend was daarom verkeerd. Zijn voelbare tegenzin had mij moeten waarschuwen. Die actie is overigens mislukt, en hij weet het. Geeft hij het nu op, laat hij de zaak doodbloeden? Kan dat? Er zijn al te veel mensen bij betrokken geweest, er is al te veel verwachting gewekt van daden, veranderingen, echo's tot in de hoogste regionen van het gezag. En waarom zou er níét iets gebeuren? De stiefkinderen van de maatschappij, dát zijn tenslotte de mensen voor wie ik in de oorlog gevochten heb, dát zijn de drenkelingen in de schipbreuk van onze beschaving die ik een reddingsvlot zou gunnen. Laat de rest maar verzuipen, de regenten en de kruideniers en de captains of industry die zich regenten willen voelen maar kruideniers zijn en blijven, al is het dan ook in het groot... Ik ben inconsequent, dat weet ik wel. Ik eet en drink en confereer met de heren, ik leef van ze. En wat dan nog? Ik bespeel ze, zoals ik Roduman bespeel, of denk dat ik hem bespeel, dat is hetzelfde. In dit stadium doet het er allemaal niet meer toe.

Hazekamp leunde achterover en legde het verfrommelde servet naast zijn bord. Hij zou nu willen slapen, deuren op slot doen, alleen zijn in de stilte van zijn eigen kamers. Maar hij moest naar A., naar een hem ál te bekende vrouw, een huis vol herinneringen, een open graf, een oud probleem. Hij haalde zijn horloge uit zijn zak en keek erop. Het was de hoogste tijd, als hij tenminste de trein nog wilde halen.

'Tranches de vie, zeg je. Wanneer dat is: brokken werkelijkheid als symbool van iets onuitsprekelijks, akkoord. Maar wat jij zou willen dat ik deed, fenomenologie van wat ik om mij heen zie en hoor, zoals je me schreef, is vlak en dood, is niets. De werkelijkheid is nog iets anders dan wat ik om me heen hoor en zie. Ik leef op de grens van twee werelden, ik ben mij bewust zowel van de ene als van de andere. Ik kan niet kiezen, want eenzijdig worden is half worden, incompleet zijn.'

'Ach,' zei Frank Swaart hoofdschuddend, 'wij leven allemaal vanuit onze versplintering. De meeste mensen nemen uit luiheid of lafheid of domheid genoegen met hun chaos. Anderen denken dat ze listig zijn door zich tevreden te stellen met het maken van een legpuzzel uit een klein aantal brokstukken die toevallig in elkaar passen. Of ze doen dat volmaakt onbewust, en dan zijn ze gelukkig, want alles klopt zo prachtig – dénken ze. Mensen zoals jij en ik weten dat het een Sisyfusarbeid is. Ik doe mee zonder een greintje hoop dat het mij ooit lukken zal de zaak tot een sluitend geheel samen te voegen. Jij doet ook mee, maar jij kunt je niet neerleggen bij de gedachte dat het onbegonnen werk is. Jij bent verliefd op een conceptie die je "de éénheid" noemt. Dat is een hartstocht van je, waarin jij andere, minder abstracte gevoelens sublimeert. Je hoeft niet te antwoorden, ik weet dat het waar is. En waarom is dat zo?' Hij nam zijn bril af en begon de glazen te poetsen. Met half dichtgeknepen ogen keek hij haar aan. 'Om te beginnen sta ik bijzonder wantrouwend tegenover het verschijnsel sublimatie. Het is altijd vlucht, altijd zelfbedrog. Neem me niet kwalijk, maar vaak als ik jou zo hoor of in je werk bezig zie over "uitbreiding ad infinitum van de werkelijkheid" en "metamorfose" en "volledigheid" en meer van die vage toestanden, denk ik: ze houdt mij voor de gek, of ze weet niets van zichzelf, ze is zich niet bewust van het onverdraaglijke in haar leven, dat ze op deze manier tracht te compenseren...'

'Ik weet heel goed wat ik onverdraaglijk vind en ik weet ook dat ik dat niet kan uitvlakken of wegsnijden. Ik kan het alleen te boven komen.'

'Wat een vervloekte vaagheden. We draaien allebei om de zere plek heen. Jij bent niet gelukkig met Leonard, dat is het.'

Hij stak zijn vinger op in de richting van een voorbijlopende dienster en bestelde nog twee koffie. Sera zweeg een tijdlang. Zij roerde met een lucifer in de volle asbak, prikte in de peuken tot die uit elkaar vielen. 'Misschien ben ik niet gelukkig met mijzelf.'

'Wat jij met Leonard te kort komt, verander je in die innerlijke processen van je, en klaar is Kees. Je zit nu wel heftig met je hoofd te schudden, maar je kunt het niet ontkennen.'

De dienster bracht de koffie. Zij veegde eerst met een zwaai van haar servet kruimels, suikerkorrels en verfrommelde papiertjes van het tafelblad. De koffie klotste heen en weer in de met kracht neergezette koppen.

'Had u geen gebak willen hebben?'

'Nee, merci,' antwoordde Frank verstrooid. Hij keek op zijn horloge. Het begon weer te regenen. De portier hield de glazen deur van het café open om drommen nieuwe bezoekers binnen te laten. Koude tocht woei langs Sera's benen. Zij gooide een klontje in haar koffie en stampte dat met de lepel fijn.

'Laten we in een betere kroeg gaan zitten,' zei Frank. 'Ga mee, ik kan je een lunch aanbieden.'

Zij schudde haar hoofd. 'Nee, ik moet naar huis.'

'Je wilt niet praten?'

'Het geeft niets.'

'Neem me niet kwalijk. Ik ben nu eenmaal voor mezelf en in de omgang met anderen een vervelende relativist en scepticus, zo iemand die ernstige mensen met idealen en vlotte jongens en stommelingen het liefst een trap onder zijn achterste zouden geven, omdat hij hen altijd komt ontnuchteren en hinderen met zijn "ja maar" en "nee maar". Laten we opstappen, het wordt mij hier te vol.'

Terwijl hij afrekende, wachtte Sera bij de deur. De regen sijpelde uit een kleurloze hemel. In enkele winkels had men de lichten al aangestoken. Zij liepen zwijgend naast elkaar langs de etalages. Frank hield zijn handen diep in de zakken van zijn groezelige kameelharen jas.

'Weet je nog hoe wij hier vroeger rondzwierven, hoe lang is dat geleden, vijftien, zestien jaar?' vroeg hij plotseling. 'En jij maar praten, praten...'

'Ik moet je geduld zwaar op de proef gesteld hebben. Ik had niemand anders dan jou.'

'Altijd Leonard, overal Leonard.' Frank schopte een prop nat papier weg van het trottoir. 'Alles draaide voor jou om Leonard. De hele wereld was Leonard. Ik werd er gek van.'

'Waarom heb je dat nooit gezegd? Je liet me maar praten.'

Hij haalde zijn schouders op. 'Ach. Ik hoorde je liever over Leonard dan helemaal niet. Ik zag je liever doof en blind voor alles behalve Leonard dan helemaal niet. En ik zat natuurlijk zelf ook in de knoop. Zo'n masochist was ik wel, dat ik het nog prettig vond óók zijdelings bij jouw liefdeleven betrokken te zijn. Dat had jij niet door.'

Hij legde zijn hand op haar arm, zodat zij bleef stilstaan.

'Begrijp je het nu? Heb je je eigenlijk ooit afgevraagd waarom ik niet getrouwd ben? Denk je überhaupt wel eens aan mij wanneer je me niet ziet?'

Sera keek naar hem op. In zijn haveloze haardos, op zijn brillenglazen, blonken regendruppels.

'Zeg nu niet dat je alleen gebleven bent om mij, want dat geloof ik niet. Bovendien ben ik het niet waard.'

'Daar kan jij niet over oordelen, laat dat aan mij over.'

Hij sprak alsof hij bezig was ruzie te zoeken, maar zij voelde de emotie onder zijn bitse woorden. 'Nee, er is niets bijzonders te zien aan de overkant van de straat. Kijk mij aan, alsjeblieft. Ik wil dat jij mij eens ziet zoals ik bén. Geen steunpilaar, geen adviesbureau, geen klaagmuur, maar een gewone man. Daar heb je nooit aan gedacht, is het niet? Heb je je ooit gerealiseerd wat het voor mij betekend heeft jaar in jaar uit jouw bekentenissen en vertrouwelijke mededelingen te moeten aanhoren over Leonard, Leonard en nog eens Leonard... vóór jullie huwelijk, na jullie huwelijk... over wat hij zei, over wat hij niet zei... over wat jij niet begreep van hem en hij niet van jou, over zijn aanwezigheid en afwezigheid...'

'Ik heb al in geen jaren tegenover jou een mond opengedaan over Leonard,' zei Sera heftig. Zij trok haar arm los uit zijn greep. 'Laten we verder lopen. Waarom heb je me nooit gezegd dat het je hinderde? Ik heb altijd geloofd dat onze vriendschap...'

'Vriendschap!' Frank lachte met een snuivend geluid en pakte hardhandig haar arm weer beet, zodat zij haar passen naar de zijne moest regelen. 'Ik zal jou eens wat vertellen. Ik voel geen vriendschap voor jou. Ik heb nooit een greintje vriendschap voor je gevoeld. Ik zou dat wat jij met vriendschap bedoelt niet voor je kunnen voelen, al wilde ik het. Zo, dat mocht wel eens gezegd worden. En ik verzeker je dit: al die jaren dat jij me doorgezaagd hebt over Leonard, was ik er minder beroerd aan toe dan nu in de laatste tijd, sinds ik weet dat jij weet dat je je leven verknoeid hebt. Nee, laat me uitspreken!'

'Je hebt het recht niet te zeggen dat ik mijn leven verknoeid heb. Ik...'

'Hoor eens. Wij kunnen hier niet zo blijven rondlopen. Wij moeten dit eens uitpraten. Kom mee naar mijn kamer, dan eten wij dáár iets.'

'Ik moet weg, de kinderen zullen al thuis zijn.'

'Die krijgen toch zeker wel een boterham bij je schoonouders. Daar is een telefooncel, bel op, dan hoef je je niet bezorgd te maken.'

'Vanmorgen heeft Digna ook al beneden ontbeten. Ik vind dat ik er nu zijn moet.'

'Verzin geen uitvluchten. Doe eens iets voor míj. Dit is te belangrijk om blauwblauw gelaten te worden.'

Sera ging in een van de rieten stoelen zitten. Frank pookte de kachel op. Over zijn schouder heen keek hij naar haar. Zij had haar mantel niet willen uittrekken, en zat met de handen in de zakken voorovergebogen naar de punten van haar schoenen te staren. Honderd keer had zij daar zo gezeten, in gedachten verdiept, met een frons tussen haar wenkbrauwen, zinnend op woorden. Zij had hier bij hem in de kamer geargumenteerd, gehuild, woedend met haar vuist op die stoelleuning geslagen, lang en luidkeels gelachen, aandachtig in de boeken gebladerd die altijd op stapels overal verspreid lagen. Nu gold haar nadenkendheid hem. Hij schopte een paar tijdschriften opzij en trok een stoel recht tegenover de hare.

'Zeg eens wat.'

'Ik weet niet wat ik zeggen moet. Ik wist niet dat je zo over mij dacht.'

'Dat lieg je. Je wist het wel, je hebt het altijd verduiveld goed geweten, in de oorlog wist je het al. We hebben toen een tijdlang te veel met elkaar te maken gehad dan dat het voor je verborgen kon blijven.'

'Ik dacht dat je daar allang overheen was. Het feit dat we vrienden gebleven zijn – neem me niet kwalijk, maar voor mijn gevoel zijn wij al jaren werkelijk vrienden geweest – leek me daar een bewijs van.'

'Dan weet je dus in ieder geval nú hoe de zaken staan. Ik heb er genoeg van, hoor je, ik verdom het langer met jou door de stad te wandelen en in cafés thee en koffie met je te zitten drinken, als vriend Frank, je ouwe getrouwe. En ik verdom het ook, na alles wat ik al van je heb moeten aanhoren, tenslotte als klap op de vuurpijl ook nog het sprookje te slikken dat jij een mooi rijk leven leidt, zoals dat heet. Ik wil geen getuige zijn van jouw rijpen tot "hogere werkelijkheid", ik wil de verhalende gedichten niet lezen, godbetert, waarin je je ervaringen en je wensdromen vermomd in symboliek neerlegt, ik wil er niets mee te maken hebben, niet als vriend en niet als criticus.'

'Wat wil je dan?' vroeg Sera terwijl zij opstond. Frank volgde haar voorbeeld.

'Het heeft nu lang genoeg geduurd, zo. Wij zijn volwassen mensen, geen verkrampte pubers.'

Zij schudde zwijgend, met neergeslagen ogen, haar hoofd.

'Ik ken je al twintig jaar. Twintig jaar! Je beschouwt mij als iets zo vanzelfsprekends in je leven dat je je eenvoudig geen rekenschap meer van mij geeft. Je bent bij mij en toch ben je er niet. Je denkt hardop waar ik bij zit, je geeft je nooit moeite mij te behagen, het kan je niet schelen of ik je in je hemd zie staan, letterlijk noch figuurlijk. Je ontvangt me als je ziek of verkouden in je bed ligt, of in een slordig schort je huishouden doet, ik herinner me dat je me wel liet binnenkomen vroeger als je bezig was een van je kinderen de borst te geven...'

'Ik hou veel van je, dat weet je toch, je bent de enige werkelijke vriend die ik ooit gehad heb.'

'Maar...? Want nu komt er een maar, is het niet? Je houdt erg veel van mij, en daar moet ik nu maar verder genoegen mee nemen? God nog aan toe, ik zou jou wel eens willen laten meemaken hoe dat is, als iemand van je houdt. Want dat weet jij niet. Als je het wist, hoe zou je dan dat wat jij voor Leonard voelt voor liefde kunnen verslijten? En als je van hem hield zoals het moet, hoe zou je het dan over je hart kunnen verkrijgen mij je enige werkelijke vriend te noemen?' Hij zag van dichtbij haar gezicht, zij had een kleur gekregen, haar hoofddoek was achterover gegleden, het haar hing warrig langs haar slapen. Hij keek naar haar lippen, die lange smalle beweeglijke mond; de koffie had het kunstmatige roze gedeeltelijk weggespoeld. De regenwolken waren voorbijgetrokken, het koude winterlicht dat door het raam viel toonde onbarmhartig de eerste sporen van verwelken in haar huid en gelaatstrekken. 'Klets toch niet,' zei hij ruw om zijn ontroering te verbergen, hoewel zij geen woord had uitgebracht. Zij stond met samengetrokken schouders, alsof zij verkleumd was.

'Ik ben volkomen bereid, volkomen, hoor je, om de gevolgen te dragen... wat die ook zouden zijn...'

Zij keek hem even aan, en die pijnlijk verwonderde blik belette hem datgene waarvan hij de gevolgen zou willen dragen nader te omschrijven. Hij sloeg zijn armen om haar heen, alsof zij een verdrinkende was, op het punt in de golven te verdwijnen, en liet zijn hoofd op het hare rusten. Hij voelde haar verstrakken binnen zijn omhelzing: méér dan haar woorden of haar blik vervulde die onwillekeurige reactie hem met woede en droefheid.

'Geloof jij werkelijk dat je Leonard liefhebt, dat je hem trouw bent? Je hebt Leonard honderdmaal met mij bedrogen – en honderdmaal erger dan wanneer je met mij naar bed was geweest. Je hebt hem verkocht en verraden door met mij over hem te praten zoals jij altijd gedaan hebt. Jaar in jaar uit heb je hem mij aangeboden op een presenteerblad, hebben wij hem samen binnenstebuiten gekeerd, hoe denk je dat hij dat zou vinden als hij het wist? Ik ben voor je geweest wat hij niet heeft willen zijn. In de oorlog, toen het jullie thuis beroerd ging, had je mij. Leonard ging op weg naar Engeland, die vond zijn vrijheid belangrijker. Die had zoveel kritiek op de manier waarop wij hier probeerden weerbaar te blijven, die vond dat zijn leven pas zin kreeg wanneer hij aan de overkant zat. Ik heb nog nooit zo onbedaarlijk gelachen als toen ik na de bevrijding hoorde dat hij niet verder heeft kunnen komen dan Portugal. Toen je vader doodging was ik bij je. Toen jij in de misère zat heb ik je geholpen. Je weet wat ik bedoel. Kan je je nu misschien voorstellen hoe ik dat vond? Ik weet alles van je leven, Leonard niet. Want hij weet het niet, is het wel, hij weet niet hoe jij het had toen hij weg was? Ik ken al je geheimen, aan mij vertoon je je zoals je werkelijk bent. Je had Leonard niet meer ontrouw kunnen zijn. Je hebt gepraat over je liefde voor hem, maar in werkelijkheid heb je je haat gelucht. Je dacht dat je bij mij steun en troost kwam zoeken, maar wat je eigenlijk kreeg was de gelegenheid wraak te nemen op Leonard omdat hij je nooit heeft liefgehad zoals jij hoopte dat hij van je houden zou... ik ken je, geloof me.. Waar ga je heen?'

Sera keerde hem haar rug toe, terwijl zij haastig, met trillende vingers, de knopen van haar mantel dichtmaakte.

'Ben je nu boos op mij? Heb ik je verdriet gedaan? Durf je eindelijk in te zien dat je Leonard zo krampachtig trouw bent uit schuldgevoel?'

Zij maakte een afwerend gebaar, hoewel hij geen enkele poging deed haar tegen te houden. Zij keek nog even om voor zij in de donkere gang verdween. Haar mond was vertrokken, tranen glinsterden op haar wang.

'Je huilt!' zei Frank, en voor het eerst gaf de aanblik van haar verdriet hem een zekere voldoening. Zij sloeg de deur dicht. Hij hoorde haar voetstappen op de trap. Een tijdlang bleef hij stil middenin de kamer staan. Goed voor haar, goed voor haar, dacht hij. Zij moest eens wakker geschud worden. Zij moest het eens horen.

Maar de tevredenheid ebde uit hem weg. Hij stond daar met een smaak van as in zijn mond.

Terugkomende van een repetitie voor het huisconcert in A., vond Sera Leonard aan haar vaders bed zitten. Zij zag dadelijk dat het om iets anders ging dan om een ziekenbezoek.

'Leonard gaat ons verlaten,' zei haar vader. Hij hief zich wat omhoog in de kussens en keek haar strak en bezorgd aan.

'Ik wil proberen via Frankrijk weg te komen,' zei Leonard.

'Wanneer?' vroeg Sera. Op hetzelfde moment dacht zij: ik moet met hem mee.

'Ik weet het nog niet. Kan ik hier blijven tot ik het weet? Naar de Keizersgracht ga ik niet meer terug. Dat is onmogelijk geworden.'

'Je hoeft ons niet méér te vertellen. Ik neem aan dat je gegronde redenen hebt voor wat je doet,' zei Sera's vader vermoeid.

Leonard bleef dus. Hij sliep op een matras in de keuken. 's Nachts, toen alles stil was in huis, sloop Sera naar hem toe. Naast elkaar uitgestrekt onder de smalle deken lagen zij urenlang te fluisteren. Zij begreep uit het weinige dat hij verteld had dat zijn besluit weg te gaan iets te maken had met onenigheid bij hem thuis, teleurstellingen of andere moeilijkheden binnen de illegale groep waartoe hij behoorde. Zij zocht naar middelen om hem tot blijven te bewegen.

'Waarom praat je niet eens met Frank Swaart? Waarom sluit je je niet aan bij hem en zijn vrienden? Zij zorgen voor bonkaarten en distributiepapieren voor onderduikers. Dat is erg belangrijk werk.'

'Ik kan niet blijven, ik moet weg. Ik stik hier. Ik voel me alsof ik in een hermetisch afgesloten duikerklok zit, op de bodem van de zee, je hoort niets, je ziet niets, je bent afhankelijk van anderen die je naar boven moeten halen. Ik wil ruimte om me heen, ik wil weten wat er aan de hand is.'

'Neem mij mee, laat me niet alleen,' zei Sera plotseling. Zij voelde hoe zijn arm verstrakte onder haar wang.

'Dat kan niet. Alles is onzeker, ik weet niet wat mij onderweg te wachten staat of waar ik terecht zal komen.'

'Hier is alles onzeker. Ik voel mij zekerder bij jou. Bij jou weet ik wie ik ben.' ('Jij kent jezelf niet,' zei Mastland tegen haar, telkens wanneer zij voor de zoveelste maal zijn nog steeds schertsende, maar allengs hardnekkigere toenaderingspogingen afwees.)

'Ach, onzin,' zei Leonard. 'Jij weet heel goed wie je bent. Je bent sterk genoeg in jezelf. Hoe zou het tussen ons zo kunnen zijn als het is, wanneer jij niet zonder mij kon bestaan? Jij helpt mij juist door hier te blijven, jezelf zoals altijd. Als je met me meeging, zou je me zwakker maken.'

Zodra in de verte de eerste trams begonnen te rijden, de wielen van handkarren ratelden in de steeg achter het huis, zocht zij op de tast de weg terug naar haar eigen bed in de achterkamer. Zij merkte dat Mizet wakker lag. Terwijl zij onder de dekens kroop fluisterde haar zuster vanuit de andere hoek: 'Wees in godsnaam voorzichtig. Denk aan jezelf. Hij gaat weg.'

'Maak je niet ongerust,' antwoordde Sera, boos om die inmenging.

'Maar jullie slapen met elkaar.'

'Niet wat jij denkt.'

'Maak dat een ander wijs,' zei Mizet smalend.

Sera perste haar lippen op elkaar en drukte haar gezicht in het kussen. Zij wilde wel, zij wilde niets liever. Maar wat Leonard wilde telde meer voor haar. Het kuise samenliggen was een proef – al zei hij dat niet, zij wist dat hij het zo opvatte –, een voorbereiding voor grotere ontberingen, een langduriger onthouding. Haar intuïtie zei haar dat voor Leonard op dit ogenblik het bewust afstand bewaren als symbool meer waarde had dan de warme werkelijkheid van een omhelzing. Hij was in gedachten al vertrokken, hij leefde al in een verte waar zij hem niet kon volgen. Zij telde de dagen en nachten van zijn verblijf bij hen thuis. Soms ging hij de deur uit om voorbereidingen te treffen, zij wist niet waar en met wie. Zij begreep dat hij daarover niet wilde of mocht praten en vroeg ook niets. Kwam zijzelf in die dagen na een afwezigheid thuis en was Leonard er niet, dan gold haar eerste blik de ouderwetse leren citybag met zijn bagage, die onder de keukentafel stond.

Hou je van me, hou je eigenlijk van me? wilde zij soms heftig vragen, wanneer zij voor een nachtelijk gesprek in het donker naast hem onder de deken gleed, maar zij slikte die woorden in. Voor Leonard sprak hun bij-elkaar-horen blijkbaar vanzelf, op een manier die zij niet begreep, in regionen van de persoonlijkheid waar woorden en gebaren niet meetelden. Zij wist dat praten over die dingen geen zin had, dat zij hem niet kon afbrengen van wat hij zich had voorgenomen. Hoe konden haar argumenten voor hem gewicht in de schaal leggen? Zij had geen argumenten, alleen vage angsten, voorgevoelens.

Alles ging zoals zij gevreesd had. Plotseling was Leonard er niet meer. De dekens die hij gebruikt had hingen te luchten aan de lijn buiten het keukenraam.

Op de dag van het huisconcert ging Sera bijtijds naar A. om samen met Marcelle, Doortje en Mastland lampen en gordijnen op te hangen en het decor voor de eerste eenakter klaar te zetten. Marcelle was uiterst prikkelbaar, Mastland daarentegen ongewoon zwijgzaam. Doortje liet een zak met spijkers vallen, trok een scheur in een gordijn, brak tenslotte een lamp. 'Ik houd het niet uit,' zei zij later, zenuwachtig nagelbijtend in de keuken tegen Sera. 'Ik ben onhandig, dat weet ik wel, ik deug niet voor dit soort van dingen. Dat zíj dat vindt, kan mij niet schelen. Zij kan mij nu eenmaal niet uitstaan. Maar dat híj zich door haar laat beïnvloeden. Hij moest toch... Hij durft niet tegen haar op. Ik begrijp het niet. Als ik met hem alleen ben is hij een heel ander mens. Hij weet wat ik waard ben. Ik heb dat toch bewezen. Waarom laat hij mij nu stikken... O...' Zij wrong snikkend haar dunne vingers in elkaar. 'Was ik hier maar nooit in huis gekomen. Ik had me nog liever in een gat onder de grond verstopt...'

'Ach zeur niet,' zei Sera geprikkeld. Doortjes blinde adoratie voor Mastland, die haar zo duidelijk als een dom en lastig kind beschouwde, vervulde haar plotseling met onredelijke drift en ongeduld. Iemand achternalopen die jou niet hebben wil, dacht zij schamper, niet inzien dat je aanhankelijkheid en liefde ongewenst zijn, dat is alleen maar belachelijk.

'Heb je dan geen greintje trots?' vroeg zij hardop. 'Je moet doen alsof het je niet kan schelen. Je hoeft je nu niets meer van die mensen hier aan te trekken, morgenochtend ga je immers met mij mee, die vriend van mij over wie ik je verteld heb, Frank heet hij, wil je verder helpen.'

'Jij weet niet wat het is.'

Sera had haar kunnen slaan op dat ogenblik. Heel die verdere middag en avond bleef zij ten aanzien van Doortje onwillig en korzelig. Wat heb ik mij op de hals gehaald, wat doe ik Frank aan, dacht zij. Voor het eerst gaf zij zich er rekenschap van dat zij eigenlijk niet geloofde aan de werkelijkheid van de verzetsdaden en gevaren waar Doortje bij betrokken zei te zijn. Het leek haar onwaarschijnlijk dat iemand met ook maar enige mensenkennis dit nerveuze en onbeheerste meisje gevaarlijke opdrachten zou geven.

Doortjes bewering dat zij een mens gedood zou hebben, had Sera bij nader inzien al eerder als onzinnig verworpen. Zij wist er misschien van, zij voelde zich medeplichtig. Sera achtte het ook mogelijk dat Doortje alles verzonnen had om indruk op Mastland te maken. En dan niet eens opzettelijk verzonnen, maar vanuit een onbewust hevig hunkeren naar aandacht en liefde. Sera bespeurde plotseling in zichzelf een boze geringschatting voor mensen die aan een onbevredigende werkelijkheid trachtten te ontkomen door weg te lopen ergens anders naartoe, of door te spelen, te dromen, dat de dingen beter en zinvoller waren dan zij zich voordeden. In haar geprikkeldheid jegens Doortje ontlaadde zich haar heimelijke verbittering om Leonard. Sinds zijn vertrek liep zij rond met een dof gevoel van gemis en niet-begrijpen als een voortdurende pijn in haar borst, die haar bij het ademen hinderde zodra zij zich rekenschap gaf van het gebeurde. Zij geloofde niet aan de noodzakelijkheid van zijn vlucht. Als er geen sprake was van onmiddellijk gevaar voor hem, waarom onttrok hij zich dan aan het gemeenschappelijke lot van allen in bezet gebied? Door de mogelijkheden in het nu en hier, het onmiddellijke contact met mensen die hem nodig konden hebben, lotgenoten, vrienden, met háár, achter te stellen bij een abstracte voorstelling van vrij-zijn, had hij haar gekwetst in niet te definiëren maar wezenlijke diepten van haar bestaan.

Hoewel zij die avond van het huisconcert voortdurend in de weer was, bij het licht en de gordijnen, of in de slaapkamers waar de spelers zich verkleedden, ging het gebeuren buiten haar om, zij had er eenvoudig niets mee te maken. In diezelfde zwevende onverschilligheid dronk zij na afloop met het kleine gezelschap dat voor napraten en opruimen bij de Weerhofs achtergebleven was (diegenen van de buren die via tuinen en heggen de spertijdregels konden ontduiken) het ene glas na het andere van de door Mastland als bijdrage tot het feest geleverde wijn. Mastland zat achter haar en hield zijn arm om haar middel geslagen, zij liet het toe, zij praatte met hem en anderen zonder te weten wat er gezegd werd of wat zijzelf antwoordde, het kon haar niet schelen. Het gezicht van Doortje, die in een andere hoek van de kamer onbeweeglijk naar hen zat te kijken, werd een vage vlek. Middenin de nacht, zij had geen begrip meer van tijd, kreeg zij er genoeg van. Zij stond op en liep weg, liet het geroezemoes, het getinkel van glaswerk, de onsamenhangende geluiden, achter zich. Zij ging de trap op naar boven. In een van de rommelige slaapkamers begon zij werktuigelijk lappen en linten op te rapen. 'Kan ik helpen?' Ongemerkt was hij binnengekomen, zij wist wel wie. 'Hier, geef mij ook wat.' Zij voelde zijn handen op haar hals en armen, maar zij was te dronken om tegen hem te spreken. Zij liep struikelend weg, met haar gezicht gedrukt in de berg kostuums die zij droeg, en ging de donkere zoldertrap op. Er bleef iets aan de leuning haken, kralen ritselden langs de treden omlaag. Maanlicht blonk achter het onverduisterde dakraam. Zij wist waar zij de kleren moest opbergen, in het ongebruikte dienstbodekamertje met de schuin toelopende wanden. Het was daar haast zo licht als bij dag, een koud licht, waarin de dingen geen kleur hadden. Hij kwam achter haar binnen en sloot de deur.

Zij werd alleen wakker in de ijzige grijze ochtend. Verstijfd van kou kroop zij onder gordijnen en kostuums vandaan. Zij liep de trap af, en langs de kamer waarin zij had moeten logeren. Door de openstaande deur zag zij het onbeslapen bed. Zij klopte aan bij Doortje, maar kreeg geen antwoord.

Marcelle Weerhof stond met een sigaret tussen de lippen in de keuken glazen te spoelen. Zij nam vanonder opgetrokken wenkbrauwen Sera van het hoofd tot de voeten op, droogde langzaam haar handen af aan haar schort en schoof een open enveloppe met een paar bankbiljetten erin over het tafelblad. 'Je kunt de trein van tien uur halen.'

Sera nam het geld. Zij voelde zich onuitsprekelijk vies. Het vreemd geworden huis wees haar af, Marcelle accentueerde door haar woorden en gebaren de kloof die vandaag van gisteren scheidde, zijzelf was binnen een paar uren onherroepelijk veranderd. Haar verstand stond stil bij de gedachte dat zij terug moest naar huis, naar haar vader en Mizet, naar een omgeving waarin zij Leonard had gekend.

'Waar is Doortje?' vroeg zij.

'O die. Er lag een briefje in de gang, vanmorgen. Zij heeft haar biezen gepakt.'

'Waarheen?'

'Ik kan je niet inlichten. Ik zou het niet eens willen weten. Vraag het aan je vriend Mastland. En maak alsjeblieft dat je wegkomt.'

Mastland liet haar zelf binnen. Zij was nog nooit in zijn huis geweest. Het rook er naar nieuwe stoffering, nieuwe meubels. De kamer waarin zij gingen zitten was een zogenaamde herenkamer, met boekenkasten, leren fauteuils en rooktafels. De sfeer was er onpersoonlijk, als in een toonzaal.

'Ja, alles is nieuw, dat heeft mijn vrouw destijds allemaal uitgezocht. Degelijk en duur en afschuwelijk lelijk. Ik had niets in te brengen. Mijn vrouw en mijn schoonmoeder bedisselden de hele zaak, ik mocht alleen betalen. Wil je roken?'

Sera schudde haar hoofd. Hij is niet op zijn gemak, hij durft mij niet aan te kijken, dacht zij schamper en bedroefd. Zwijgend zaten zij een tijdlang tegenover elkaar.

In een aangrenzende kamer tikte een klok, een antieke staande klok waarschijnlijk, met hol knarsend geluid.

'Kind, ik ben zo alleen,' zei hij plotseling hees, terwijl hij op zijn knieën gleed. Zij keek nu van vlakbij op hem neer, zag zijn spitse neus en dunne intelligente lippen. Hij sloeg zijn armen om haar heen.

'Zeg dat je me vergeeft, dat je een beetje van mij houdt,' vervolgde hij steeds op die smekende toon, met tranen in zijn stem. Zij was overrompeld door dit voor Mastland volstrekt ongebruikelijke vertoon van nederigheid en sentiment. Hij herhaalde fluisterend, dringend, zijn vraag. 'Toe, zeg eens wat. Als je me niet vergeven had, en als je ondanks alles niet een beetje van me hield, zou je hier immers niet zitten, dan was je nu toch niet naar mij toe gekomen?' Hij nam zijn bril af en legde die op tafel. Zonder die lenzen zagen zijn donkerbruine ogen er naakt en star uit. 'Waarom doe je zo strak, je bent vol tegenstand. Je hoeft niet bang voor mij te zijn.'

Medelijden won het van haar weerzin. Zij streek hem een paar maal snel en vluchtig over zijn koperkleurige haar, klopte hem op zijn schouder, trachtte hem daarna zachtjes weg te duwen.

'Ga weer zitten, toe nou.'

'Waarom doe je zo?' herhaalde Mastland, zonder haar los te laten. 'Je hebt dus toch iets tegen mij? Dat is niet eerlijk. Jij wou ook.'

'Nee.'

'Waarom ben je anders hier?'

'Ik wil niét!' schreeuwde zij, terwijl de tranen haar in de ogen sprongen.

'Goed.' Hij stond op, en ging met zijn rug naar haar toe bij een van de boekenkasten staan. 'Vertel me dan waarom je wél gekomen bent?'

'Weet jij waar Doortje is?'

'Doortje schijnt met de noorderzon vertrokken te zijn. Dat heb ik vanmorgen tenminste voor dag en dauw van Marcelle Weerhof gehoord. Van een bijzonder boze Marcelle, tussen twee haakjes.'

Hij kwam weer tegenover haar zitten. Zij negeerde zijn poging om door een toespeling op het gebeurde van die nacht een vorm van verstandhouding te scheppen.

'Ik maak mij ongerust.'

'Dat zou ik niet doen als ik jou was,' zei hij schouderophalend.

'Maar zij kan niet zomaar weg zijn. Zij was zichzelf niet, de laatste tijd. Jij kent haar, jij weet beter dan wie anders ook waarom. Zij heeft met jou samengewerkt, dingen voor jou gedaan, jij bent verantwoordelijk voor haar.'

'Heb je het nog steeds over Doortje? Vergis je niet,' zei Mastland kalm. 'Ik weet niet wat jij denkt te weten, en hoe je aan die wijsheid komt, maar geloof me: ik ben niet de grote man hier.'

'Doortje heeft gezegd...'

'Doortje weet verduiveld goed hoe de vork in de steel zit. Heeft zij nooit met jou over Diepwater gesproken?'

'Ik ken die naam helemaal niet.'

'Merkwaardig is dat.' Mastland lachte kortaf, maar bleef haar strak aankijken. 'Doortje is anders tegenover jou blijkbaar niet karig geweest met mededelingen. Te royaal zelfs, veel te royaal, naar mijn smaak. Dat wil natuurlijk niet zeggen, dat ik jou niet vertrouw, integendeel.'

'Wie is Diepwater?'

'Aha, daar vraag je me wat.' Mastland stulpte zijn onderlip over zijn bovenlip heen en trok zijn wenkbrauwen op, een gewoontegrimas, waardoor zijn gezicht tot een grotesk masker misvormd werd. 'Diepwater is de centrale figuur. Ik weet niet hoe ver zijn contacten reiken. Ik krijg hem zelf maar hoogstzelden te zien. Van tijd tot tijd geeft hij mij... wenken, laat ik het zo noemen. Opdrachten is te sterk uitgedrukt. Ik zou niet weten hoe ik mijn relatie tot hem moest omschrijven. Ik ben hem geen rekening en verantwoording schuldig voor alles wat ik onderneem.'

'Heeft Diepwater iets te maken met de verdwijning van Doortje?'

Het bleef een tijdlang stil. Mastland keek naar haar, maar zijn gedachten waren ergens anders.

'Niet onmogelijk. Helemaal niet onmogelijk,' zei hij tenslotte langzaam.

'Maar kan je dan niet...'

'Lieve kind, ik weet niet waar de man uithangt. Ik weet niets van hem. Diepwater is niet zijn werkelijke naam. Soms krijg ik een berichtje, dan ontmoet ik hem ergens, nooit tweemaal op dezelfde plek. Als ik hem zie, zal ik hem naar Doortje vragen, dat beloof ik je. Hoewel ik betwijfel of hij mij iets zeggen zal – zelfs wanneer hij weet waar zij is.'

'Dat begrijp ik niet.'

'Ken je de term bedrijfsspion? Het zou mij niet verbazen als Doortje tussen hem en mij die rol heeft vervuld.'

'Zij houdt van je. Zij zou liever doodgaan dan jou bespioneren.'

Mastland haalde zijn schouders op. 'Ik ben er niet zo zeker van. Weet je dat ook al, dat Doortje van mij houdt? Wat weet je nog meer?'

'Dat Marcelle Weerhof en jij haar gemeen behandeld hebben.' Sera stotterde van felheid, zij beefde, het bloed steeg naar haar gezicht. Mastland keek naar haar met donkere stipogen. Plotseling boog hij zich over de tafel heen en stak haar zijn hand toe: 'Ben je bang dat ik jou ook gemeen behandelen zal?'

'Daar krijg je de kans niet toe. Ik heb niets met je te maken.'

Mastland trok zijn hand terug. Zijn ogen weken niet van haar gezicht. Zij beantwoordde die blik, vijandig en gespannen. Over mij heeft hij geen macht, dacht zij. Wat er gebeurd is geeft hem geen macht over mij.

'Ik heb voor een paar dagen etenswaren in de keuken,' zei Mastland plotseling nonchalant. 'Kan jij niet wat voor mij klaarmaken, zodat ik het later alleen maar hoef op te warmen? De werkster die dat anders doet, is niet komen opdagen.'

Sera stemde toe, opgelucht omdat door zijn neutrale toon iets van de kameraadschappelijke omgang van de laatste weken scheen terug te keren. Terwijl zij in de keuken bezig was – een pijnlijk ordelijke compleet ingerichte keuken, merkwaardig goed voorzien van dingen die elders zeldzaam geworden waren – liep Mastland in en uit. Hij wees haar waar zij alles vinden kon, keek toe hoe zij kookte, en vertelde intussen ironisch en openhartig over zichzelf, over zijn korte mislukte huwelijk, zijn leven alleen. Ineens zag Sera de Mastland die in A. populair was, de Mastland voor wie Doortje door het vuur had willen gaan. Alsof het vanzelf sprak had hij binnen voor twee gedekt. Verhalen over zijn jeugd, in de keuken begonnen, werden aan tafel voortgezet. Hij was enig kind geweest, voortdurend heen en weer gerukt tussen gescheiden ouders. Het vos- of fretachtige, spitse en snelle in hem, dat haar tegenstond en soms angst aanjoeg, kreeg een ander accent, zij begreep in een flits waarom hij rusteloos en eerzuchtig was, begerig zich mensen en dingen toe te eigenen en even vlug weer bereid dit alles met een 'ik heb het al gezien' weer weg te gooien. 'Ik zit altijd op de wip, altijd op de uitkijk, kan je je dat voorstellen? En ik ben verdomd achterdochtig geworden. Ik wil niet beweren dat ik mensenkennis heb, maar een bepaald type is voor mij zo doorzichtig als glas. De soort waartoe ikzelf van huis uit behoor. Mensen als die hier in de buurt, de Weerhofs bijvoorbeeld, en al hun vrienden en kennissen, de lieve Doortje... Jij vindt dat ik Doortje gemeen behandeld heb. Maar is het nog geen ogenblik bij je opgekomen dat dergelijke lieve hevige domme meisjes levensgevaarlijk kunnen zijn?'

'Ik wou dat ik wist waar zij was. Zij is het gevaarlijkst voor zichzelf.'

'Ik ben er zeker van dat Diepwater zich over haar ontfermd heeft. Via hem is zij tenslotte ook bij ons in A. gekomen.'

'En heb je er geen idee van waar dat zijn kan?'

'Overal en nergens.' Mastland lachte kortaf. 'Diepwater moet hier in de buurt een pied-à-terre hebben. Maar dat is zijn enige niet, evenmin als Diepwater zijn enige naam is, en het gezicht dat hij mij laat zien zijn enige uiterlijk.'

'Wat is hij voor een man?'

'Er valt niets over hem te vertellen. Dat maakt het niet eenvoudiger. Ik had het daarnet over zijn uiterlijk. Eigenlijk heb ik me niet juist uitgedrukt. Hij heeft geen uiterlijk, tenminste niet voor mij, niet als hij met mij te maken heeft. Ik geloof dat dit effect opzettelijk is. Onopvallend postuur, onopvallend gezicht. Haar, ogen, stem, manier van doen, alles non-descript. De spreekwoordelijke naald in een hooiberg. Volmaakte mimicry. Je moet minstens een dozijn keren met hem gepraat hebben en dan langer dan een halfuur en over meer dan het strikt noodzakelijke of voor de hand liggende, vóór je je oren gaat spitsen... dan hóór je namelijk zijn bijzondere kentekenen, want zien kan je die niet. Hij weet niet dat ik een vrijwel fotografisch geheugen heb. Hier is bijvoorbeeld iets wat hij telkens zegt, een citaat vermoed ik: "Op de bodem van de tijd liggen als gezonken schepen tal van culturen bij wie zich nu weldra ook de westerse cultuur zal voegen."'

'Noemt hij zich daarom Diepwater?' vroeg Sera. Zij zat met haar ellebogen op tafel, haar hoofd in haar handen gesteund. Mastland keek op.

'Diepwater... de bodem van de tijd. Om Diepwater te doorgronden zou iemand een duiker moeten zijn – nee, meer dan dat. Een duiker komt zo diep niet, gaat ook te rationeel te werk, met heel zijn technische apparatuur. Wie de onderstromen van Diepwater wil verkennen, moet zelf elementair zijn, een natuurwezen...'

'Een meermin?' vroeg Sera.

'Ja, een meermin, waarom niet?' Hij keek haar onderzoekend aan, boog zich naar haar toe en omvatte haar ellebogen. Zij zag in zijn ogen zijn heimelijk geamuseerd lachen. 'Is dat niet iets voor jou, wil jij dat niet zijn, de meermin die Diepwaters geheimen boven brengt?'

'Ik weet niet wat je bedoelt.'

'Jij kunt mij helpen, beter dan Doortje.'

'Met wat dan?'

'Daar praten wij wel over als het zover is.'

'Oók bedrijfsspion, maar ditmaal aan jouw kant?'

Mastland lachte nu hardop, instemmend. Zij had vaker gemerkt dat niets hem zo vermaakte als ware of vermeende berekening of wantrouwen in een ander.

'Nee, maar nu zonder gekheid. Dit zijn ernstige dingen. Doortje heeft koerierswerk voor mij gedaan – heel zeker doet zij dat ook voor Diepwater. Als zij wegblijft, heb ik iemand anders nodig. Ook als zij terug zou komen, wil ik niet meer met haar samenwerken. Ik hou er niet van achter mijn rug om gecontroleerd te worden. Ik vertrouw Diepwater niet. Dat is een gevoelskwestie, bewijzen kan ik niets. Het gaat hem bij dit alles om andere dingen dan mij. Kijk, er is niet alleen sabotage nodig, niet alleen dwarsbomen en vernietigen wat de Duitsers en hun handlangers ondernemen, maar volgens mijn bescheiden mening heeft het verzet dat wij nu plegen ook de functie een en ander, vooral in economisch organisatorisch opzicht, veilig te stellen, en te handhaven met het oog op later – ik reken zoals je ziet op een nederlaag van de vijand. Ik wil bepaalde contacten niet verloren laten gaan... Dat kan ik je niet een twee drie zo haarfijn uitleggen. Hoe het ook zij, ik stuit in dit opzicht bij Diepwater op duidelijke tegenstand. Ik vind dat hij bij zijn acties geen rekening houdt met belangen die... Om kort te gaan, hij is voor mij een twijfelachtige figuur, al heb ik respect voor zijn vindingrijkheid en zijn persoonlijke moed.'

'Wij zien elkaar in de toekomst niet meer, want de huisconcerten zijn voorbij,' zei Sera afwerend.

'Je probeert weer van mij af te komen. Als ik zo nu en dan maar eens een beroep op je mag doen, om iets voor mij in ontvangst te nemen of te bewaren, eventueel eens een brief of een pakje bij mij te bezorgen. Niet hier, er zijn in A. te veel oren en ogen. Ik zal ook niet zelf bij jou komen, als je dat niet wilt,' voegde hij eraan toe toen hij zag dat zij aarzelde. Zij draaide langzaam nadenkend een glas rond dat voor haar op tafel stond. Het meest verbaasde het haar dat zij geen afkeer meer voor hem voelde, dat zij hem op een onduidelijke manier wel mocht, al wilde zij noch zijn liefde, noch zijn vriendschap. Zij zaten tegenover elkaar aan tafel in een sfeer van onpersoonlijke intimiteit. Heel haar vroegere leven scheen zich met astronomische snelheid van haar te verwijderen in een niet meer te achterhalen verleden tijd.

'Je vindt het toch wel prettig bij mij,' zei Mastland op constaterende toon. 'Ontken het maar niet. Ook je bezorgdheid voor Doortje is veelbetekenend. Je voelt je schuldig ten opzichte van haar. Want al heb je mij niet aangemoedigd, zoals dat heet, je hebt me ook niet afgestoten, zeker niet in de afgelopen twee weken. Marcelle zag het, Doortje heeft het natuurlijk ook gemerkt. En jij hebt heel goed beseft dat die twee het wisten. Leer mij vrouwen kennen! Bovendien schijnt Doortje vannacht op zolder geweest te zijn.'

'Hoe kom je daarbij?' vroeg Sera, versteend van afschuw en schrik.

'Ik had immers bij het krieken van de dag Marcelle aan de telefoon. Zij ging als een furie tegen mij tekeer. Zij heeft zelf Doortje naar boven gestuurd met gordijnen die opgeborgen moesten worden.'

'O God,' zei Sera. Zij schoof haar stoel achteruit.

'Blijf zitten, ga nog niet weg. Ik begrijp hoe je je voelt. Maar het is nu eenmaal gebeurd. Door weg te lopen en mij niet meer te willen zien, kan je niets ongedaan maken. Integendeel, misschien heeft dit zo moeten zijn, wij hebben met elkaar te maken, Sera, daar is niets aan te veranderen. Vertrouw mij alsjeblieft, keer je niet van mij af. Ik zal je nergens toe dwingen. Ik wil je alleen af en toe eens ontmoeten, wat met je praten. Begrijp je nog niet dat ik daar heel veel voor over heb? Ik heb me als een schoft gedragen, dat weet ik wel, maar realiseer je je ooit hoe verdomd eenzaam ik ben? Ik ken honderden mensen, maar ik heb geen vrienden. Mannen doen zaken met me, vrouwen gaan met me uit, ik mag op alle feesten komen omdat ik goed kan praten en bridgen en dansmuziek spelen. Zo is het altijd geweest, maar dat betekent niets. Wat moet ik doen om die stugheid en dat wantrouwen van jou weg te nemen? Geef me een kans.'

'Héb ik m'n wagen een ogenblikkie aan de kant laten staan, gaan m'n buren er meteen mee joyriden,' zei de conducteur van de tram schamper toen de bestuurder krachtig remde voor een bijzonder grote Amerikaanse personenauto met staartvinnen en panoramaruiten, die vanuit een zijstraat dwars over de rails gleed. De staande passagiers werden naar voren geslingerd. Sera, die geen lus meer had kunnen bemachtigen, trachtte haar evenwicht te bewaren door met één hand over de hoofden van de zittenden heen tegen de ruit te steunen. De auto reed door, de tram zette zich langzaam weer in beweging. Toch bleef er deining voorin de wagen, waar de mensen bij de schok van het plotseling stilstaan tegen elkaar aan geslingerd waren.

'Er is iemand niet goed geworden!' zei een lange man die over de hoofden kon heen kijken. De conducteur baande zich een weg door de menigte, roepend: 'Is er nog een plaats voor deze dame?'

Behulpzame handen schoven een jonge vrouw door het middenpad, de mensen weken opzij. Zij hield haar handen tegen haar mond gedrukt, zakte in elkaar op de vrijgekomen plaats. Sera herkende haar. Het was Stans Deemster, de typiste, die zij 's ochtends bij Joris op de uitgeverij had gezien.

'Ze is doodziek,' zei een instinctief opzij schuivende mevrouw met een kind op schoot.

'Juffrouw Deemster! Stans!' zei Sera aarzelend, terwijl zij zich over het meisje heen boog en de natte piekerige bontkraag aan haar hals losknoopte. Stans Deemster reageerde niet, maar gleed onderuit, zodat haar handtas op de grond viel. Zij kreunde met halfopen mond. Haar gezicht was goorbleek. De omstanders lieten het niet aan raadgevingen ontbreken.

'Draag haar een winkel binnen, roep de politie, waarschuw de GGD.'

'Juffrouw Deemster!' herhaalde Sera. Het meisje keek haar even aan en deed een poging rechtop te gaan zitten. 'Ik wil naar huis.'

'Ik zal u wel brengen. Bij de volgende halte is een taxistandplaats.'

Stans Deemster woonde op een kamer in de Lange Leidsedwarsstraat. Zij hoefde geen huissleutel tevoorschijn te halen, de voordeur stond op een kier. Over een nauwe wenteltrap klommen zij langzaam omhoog, Sera achter Stans, die van tijd tot tijd staan bleef en zich ineengekrompen aan de leuning vastklemde. Haar kamertje was op de derde verdieping. Bij het schemerlicht dat door een raam van vuil matglas binnendrong, morrelde Sera aan het hangslot. Op het portaal konden juist twee mensen staan. Uit de koker van het trapgat steeg een benauwde lucht omhoog van stof en rook en eten en oude kleren. Sera had de deur open gekregen en schoof het meisje naar binnen. Stans liet zich languit op het onopgemaakte bed vallen dat driekwart van het hok in beslag nam. Op een met zeildoek bedekte tafel zag Sera een eenpits gastoestel, een melkkoker en een paar gebruikte koppen en schotels, verder talloze doosjes, parfum- en nagellakflesjes, tubes, vuile kammen en borstels, zakdoeken en vloeipapiertjes met rougevlekken, vijlen, penselen, watjes, sigarettenpeuken, kralenkettingen. Twee volle asbakken stonden onder een muurfonteintje op de grond. Er was geen plaats voor stoelen of een kast, aan de binnenkant van de deur hing een met kledingstukken overbelaste kapstok. In dit hok, dacht Sera, slaapt Stans Deemster, kleedt ze zich aan, warmt ze een beker melk bij wijze van ontbijt. Voor dat stoffige gebarsten spiegeltje verft ze haar gezicht, hangt ze ringen en kwasten en druiventrossen aan haar oren. Dan gaat ze van dit kale groezelige kamertje naar de uitgeverij, waar ze de hele dag achter een schrijfmachine zit, en vandaar met wie het haar maar aanbiedt naar een café voor een borrel of een hap eten, naar de bioscoop, naar een bar, een bed, het doet er niet toe.

Stans Deemster lag nu languit op haar rug, met haar mantel nog aan, zij had haar hoofd naar de muur gedraaid. Sera hoorde dat zij telkens haar adem inhield.

'Heb je zo'n pijn?'

'Laat me nou maar,' zei Stans fluisterend. 'Dank u wel, ga maar weg.'

'Zal ik iemand waarschuwen of een dokter voor je bellen?'

'Nee, nee, laat me nou, verdomme.' Zij had plotseling een hijgende huilerige kinderstem. Sera stak aarzelend haar hand uit naar de deurknop, maar nog voor zij die had aangeraakt klonk er van het bed een onderdrukt jammeren op.

'Maar God nog aan toe, wat is er dan toch met je aan de hand?' vroeg Sera, bars van schrik. Onder de gelig-roze laag make-up was het gezicht van Stans Deemster als verflenst, haar mond stond kreunend open, tranen van pijn liepen langzaam van haar ooghoeken naar het kussen, maakten daar zwartige vlekjes. Zij begon instinctief tegen het voeteneinde van het bed te trappen, haar hakken tikten op de ijzeren stang. Sera boog zich over haar heen. 'Zeg nu wat er is. Heb je krampen?'

Stans keek starend langs haar been omhoog, zweetdruppels sprongen te voorschijn op haar voorhoofd en bij haar slapen.

'Ik was twee maanden over tijd, ik heb er iets aan gedaan,' stootte zij uit. 'Het is niet de eerste keer, ik weet het nou zo langzamerhand wel. Morgen ben ik weer oké.' Zij gooide haar hoofd opzij en beet in het kussen.

'Je bent gek,' zei Sera. 'Je kunt hier niet zo blijven liggen. Als je zo beroerd bent, heb je een dokter nodig. Misschien moet je naar een ziekenhuis.'

'Ik weet geen dokter,' steunde Stans met gesloten ogen. 'Als je opgenomen wordt moet je vooruitbetalen. En ik heb geen cent. Ik ben hier ook nog twee maanden huur schuldig.'

Sera trok haar mantel uit en legde die over de benen van het meisje. Zij nam de melkkoker en schuurde die onder de kraan zo goed en zo kwaad als het ging schoon met een nagelborstel. Daarna zette zij water op.

'Zal ik naar de uitgeverij gaan en vragen...'

'Nee. Nee.' Stans opende wijd haar ogen en schudde haar hoofd. 'Ik heb al zoveel voorschot gehad. Ik wil ook niet dat ze daar iets te weten komen... van dit. Het gaat niemand aan. Ik heb al beroerdigheid genoeg gehad. O...' Zij begon weer te jammeren.

Sera noemde zacht, vragend, de naam van Joris' assistent. Stans Deemster schudde haar hoofd.

'Is dit dan niet...?'

'Nee. Nee. Het was allang uit tussen ons toen ik... Op een avond na een fuif ben ik op de zolder van Fosfer geweest. Eerst waren er een heleboel lui, schrijvers en zo, later niet meer. Ik was dronken. Ik heb daar op een bed gelegen, dat weet ik nog, met een vent, maar ik kan me niet herinneren... O God, wat ben ik beroerd. Het kan alleen van toen zijn...'

'Praat maar niet. Je moet nu eerst geholpen worden. Heb je geen familie hier in de stad?'

'Ja, mijn vader,' fluisterde het meisje. Zij vloog overeind, half buiten het bed, en begon te braken.

Doornstam, juist teruggekeerd van een vergeefse poging om toegang te krijgen tot de (inmiddels verzegelde) archieven van het informatiebureau Discreet van wijlen de heer Spiedes, liep op zijn tenen de slaapkamer binnen waarin zijn vrouw middagrust hield. Zij lag met haar rug naar hem toe in het grote empireledikant met het symmetrisch omgebogen hoofd- en voeteneinde, waarin ook zijn ouders zo lang hij het zich herinneren kon geslapen hadden. Boven het bed hing een groen gordijn gedrapeerd over een koperen stang, die de illusie wekte van een in de muur gestoken speer. Op een witgelakt kastje naast het hoofdeinde waren een bril, een klokje en een reeks medicijnflesjes gerangschikt. Doornstam keek door een kier van de gesloten gordijnen naar buiten, het begon al te schemeren in de tuin.

'Heeft Koba thee gezet?' vroeg zij achter hem.

'Ik wist niet dat je wakker was.'

'Ik heb niet geslapen.'

Hij schoof de gordijnen open, hoorde haar zuchtend opstaan. Ook zonder dat hij naar haar keek wist hij hoe zij nu stijf, met één hand in de zij gedrukt, naar de toilettafel liep. Onlust vloog hem naar de keel, een gevoel van angst en bitterheid. Wij zijn twee lelijke oude mensen, alles is voorbij.

'Godallemachtig, daar staat nu het kolenhok weer wagenwijd open. Kan je Koba niet eens aan haar verstand brengen dat ze deuren achter zich moet sluiten! Als dat zo doorgaat moet ze weg, ze wordt te suf...'

Bij de wastafel tinkelde glas op porselein. 'Wat heb je toch, je bent zo driftig. Vanochtend al.'

'Ach...' Hij draaide zich om en begon de klok op te winden, iets wat hij die morgen vergeten had. Het neerstorten van de meermin, de dood van Spiedes, Leonard...

'Leonard,' zei hij.

Zij keken elkaar aan in de spiegel. In het vale wintermiddaglicht was haar gezicht grauw.

'Nog altijd die afschuwelijke zaak in A.?'

'Onder andere.' Hij wendde zich af en ging weer voor het raam staan. Gelig lamplicht schemerde tussen de boomstammen door. In het prieel onderscheidde hij vaag de vormen van de twee tuinbeelden die daar 's winters opgeborgen werden. Bij dag was het effect alleen maar vermakelijk, twee grijswitte naakte baadsters in een hokje, maar wanneer het donker werd kregen hun kuise gebaren met waterkruik en afgelegd gewaad iets dreigends en obsceens.

'Weet je nog dat ik destijds vaak gezegd heb: zou hij dat nu wel doen, medewerker van Hazekamp worden?' vroeg zijn vrouw met klagende stem. 'Hazekamp heeft altijd een eigenaardige reputatie gehad... en dan Leonard die zo weltfremd is...'

'Ja, mijn hemel, ik heb gepraat als Brugman, toen. Maar dat was voor Leonard des te meer reden zijn eigen zin door te drijven. Je kent hem toch.'

Hij kwam terug in de kamer. Zijn vrouw keek in de spiegel naar hem.

'Is er dan nu iets gebeurd?'

'Ik houd niet van de manier waarop Hazekamp zijn kantoor leidt... of níét leidt, dat is beter uitgedrukt. Hij is er meestal niet, laat de dingen aan anderen over. Allemaal heel verkeerd voor

Leonard,' zei hij plotseling heftig.

'Er moet iets gebeurd zijn, je zou er niet over begonnen zijn als dat niet zo was.'

'Ik zeg je, die zaken van Hazekamp bevallen mij niet. Onsmakelijke en onverkwikkelijke affaires, stof voor de sensatiepers, die halverwege de doofpot in gaan of verder met gesloten deuren behandeld worden. Automatisch komen ze voor zoiets blijkbaar bij Hazekamp, nog altijd.'

'Overal waar geprocedeerd wordt, is er in het verborgene iets mis,' zei zijn vrouw zacht. Zij frommelde met neergeslagen ogen aan de knoopjes van haar mouwen.

'Maar nu dit weer, die geschiedenis in A. met dat opgegraven lijk...'

'O toe, alsjeblieft.'

'Wat mij kopschuw maakt is die vage maar onmiskenbare sfeer van... kom, het juiste woord... "louche" is te sterk, maar er kleeft toch aan bijna al die zaken van Hazekamp iets... nu ja, je begrijpt wat ik bedoel. Het hindert mij ontzaglijk dat Leonard, die van nature toch al onberekenbare reacties heeft, Leonard, met zijn idee-fixen en zijn gebrek aan mensenkennis... Ik wou dat hij daar wegging, iets anders ambieerde.' Doornstam begon heen en weer te lopen, werktuiglijk tastend in vest- en jaszakken naar horloge, vulpen, bril, losse muntstukjes, als wilde hij nagaan of alles er nog was. 'Ik wou dat hij maar eens goede raad van mij wilde aannemen. Mijn god, ik ben toch waarachtig niet de eerste de beste, ik kan iets voor hem doen, ik heb relaties... Wat is er, heb je hoofdpijn?' vroeg hij, zichzelf in de rede vallend. Zij drukte haar vingers tegen haar slapen.

'Het komt opzetten. Dit gepraat enerveert me zo. Wij kunnen nergens iets aan veranderen.'

'Jarenlang heb ik stille hoop gehad dat Sera...'

Zijn vrouw schudde met gesloten ogen haar hoofd. 'Ach, zij heeft geen invloed op hem. Trouwens zijzelf... Waar was zij nu weer, tussen de middag. De kinderen wisten niet dat zij niet thuis zou komen met koffiedrinken. Waarom zegt zij zoiets nu niet even van tevoren?'

'Soms denk ik wel eens dat zij hem nog versterkt in zijn neiging tot... ja, hoe noem je dat. Zij hebben geen vrienden, geen connecties. Er is wel degelijk iets waardevols in Leonard, maar wat is dat en waar is het op gericht? Hij is niet dom, hij is integer – wat ontbreekt er toch aan die jongen?'

'Hij is zo heel anders dan Emily en Eduard. Het leeftijdsverschil... misschien hadden wij...' zei zij fluisterend, terwijl zij het lampje boven de kaptafel uitdraaide. Hij reageerde zoals zij verwacht had dat hij reageren zou: door driftig zuchtend naar de deur te lopen.

'Onzin, wát hadden wij...? Wij hebben alles gedaan wat wij konden. Het is tragisch, voor ons, voor hem, maar niemand hoeft zich iets te verwijten. Kom, ik ga vast naar beneden.'

Toen hij de kamer uit was, bleef zij onbeweeglijk aan de kaptafel zitten, haar blik gericht op de grijze vlakken van de ramen die door de spiegel weerkaatst werden. Zij had woorden willen vinden voor wat haar tegenwoordig vaak benauwde. Wij hebben Sera tenslotte ter wille van Leonard aanvaard, wij hebben haar in onze kring opgenomen, opdat Leonard onder dak zou zijn, een vrouw, een gezin zou hebben. De onuitgesproken hoop dat een eigen leven hem ertoe zou brengen zich geleidelijk aan te passen aan wat er van hem verwacht werd, was niet in vervulling gegaan. Wie had het eerst aarzelend de veronderstelling geuit dat Leonard ánders was, zonderling, verstoken van de eigenschappen, nodig om zich in hun milieu te kunnen handhaven? Handhaven. Zij keek in de spiegel, naar de dingen achter haar in haar slaapkamer, de empiremeubels, de kandelaars aan weerskanten van de pendule op de schoorsteenmantel, de symmetrisch gerangschikte familieminiaturen op het groendamasten behang. Emily en Eduard kenden de betekenis van het woord handhaven, in hun leven en opvattingen weerspiegelden zich de tradities waarin zij waren opgevoed. Leonard was los van dat alles. Ineens gaf zij zich er rekenschap van dat juist dit haar onzeker maakte, haar angst aanjoeg. Het los-zijn van dingen, van bezit, een voor haar onbekende staat van zijn. Zij wist niet waar Leonard en Sera aan hechtten. Háár kon alles ieder ogenblik ontnomen worden, door de dood, of door nog onheilspellender gevaren in het leven. Zij draaide zich om en liet haar blik door de kamer dwalen. Altijd had de strenge maar smaakvolle schikking van meubels en bibelots haar rust gegeven, iets in haar gesust wat soms opsprong en radeloos gillen wilde. De stoeltjes stonden elegant op hun ranke poten, de gestreepte zijde van de bekleding glansde dof. Langzaam kwam zij overeind, greep in het voorbijgaan liefkozend een van de met vergulde meanders beslagen leuningen. Daar liet het hout los, zij hield de leuning in haar hand. Zij gaf een hoog geluid van schrik en afschuw, en herinnerde zich plotseling dat het hele ameublement jaren geleden op vele plaatsen gelijmd was, dat de vazen gekramd, de zilveren guirlandetjes aan de kandelaars gesoldeerd waren. Een afschuwelijk gevoel van onzekerheid bekroop haar. Het huis brokkelde rondom haar uiteen. Bij niets en niemand vond zij houvast. Haar man, die schijnbaar zo zelfbewust, zo geposeerd, goedverzorgd, geurend naar lavendel, en zachtjes rinkelend met de gouden versiersels aan zijn horlogeketting als heer en meester rondliep door de kamers, de klokken opwond, haar het zwijgen oplegde wanneer zij onderwerpen aanroerde die hij onaangenaam vond, hield zich op de been met port. Zij wist het wel, zij rook het, al 's morgens lang voor de lunch. Haar hand klauwde in de kant op haar borst. Zij had moeite met ademen. Het huis was vol van dood, háár dood, die van haar man, een dood verleden. Beneden sloeg een deur dicht, harde snelle voetstappen van Casper en Dorit, die vroeger dan anders uit school thuiskwamen, echoden in de gangen. Vóór haar voeten viel een schilfer kalk van het plafond.

Doornstam was innerlijk verijsd ten opzichte van zijn jongste zoon, sinds het ogenblik waarop hij voor het eerst gemerkt had dat de jongen hem volkomen vreemd was, de verpersoonlijking van een niet te definiëren verzet tegen al wat Doornstam dierbaar en heilig was. Leonard was een stil en teruggetrokken kind geweest, altijd onopvallend bezig in een ontoegankelijke eigen wereld. Maar dat hoorde bij een bepaalde leeftijd, dacht Doornstam. Hij had zich weinig met de jongen bemoeid toen die nog klein was. Dat waren de drukste jaren van Doornstams leven. Leonard was het nakomertje, niet helemaal van harte welkom bij ouders die kleine kinderen ontgroeid waren.

Toen Leonard een eigen kamer moest hebben, had zijn moeder hem op zijn verzoek de zolderkamer gegeven. Doornstam vond dat niet prettig. Een vage herinnering roerde zich in hem, het was alsof hij een onaangename geur opsnoof. Hij kwam al sinds vele jaren nooit meer op zolder. Alleen één enkele keer, toen hij Leonard dadelijk wilde spreken en er zo gauw niemand anders bij de hand was om de jongen te halen... Leonard moest boven zijn, maar hij had geen antwoord gegeven op het roepen van zijn vader onderaan de zoldertrap. Driftig was Doornstam tenslotte zelf naar boven gegaan. Door de half openstaande deur keek hij binnen in die lege, zeer ordelijke kamer, die hij lang-, langgeleden onder heel andere omstandigheden betreden had. Op tafel lagen schriften en boeken gerangschikt in een symmetrische figuur, als een magisch teken. In een oogopslag zag hij dat Leonard daar niet was, hij hoefde dus niet naar binnen te gaan.

'Allemachtig, waar zit je, geef antwoord!'

Juist de volslagen afwezigheid van geluid en beweging op zolder maakte hem achterdochtig. Hij liep, telkens even bukkend om zijn hoofd niet te stoten aan de balken, tussen kisten en manden en met stoflakens bedekte vormeloze massa's door. Bij de rekken waarop 's winters de goudrenetten bewaard werden, stond Leonard doodstil, zijn blik op zijn vader gericht. In zijn ogen was een vonk van iets wat Doornstam niet begreep; zegevierende afwezigheid, zo zou men het misschien kunnen noemen, dacht hij later, voldoening omdat er iets bewezen was... maar wát dan? en dit alles gemengd met een zekere nieuwsgierigheid naar de reactie van de ander. Doornstam, te verwonderd om boos te zijn, en zijns ondanks ook enigszins geschrokken, vroeg: 'Wat doe je daar?'

Hij wist heel goed, ook zonder antwoord, dat Leonard geen verboden dingen deed, geen appels at, niets te verbergen had.

Hij voelde zich merkwaardig vernederd. Even vocht hij tegen een vreemde irrationele angst: dat er in die jongen iets binnengeslopen zou zijn van Nellie en haar verstoten zoon, dat het Doornstam-wezen door de natuur langs slinkse achteromwegen was aangetast, een late vergelding.

Jaren later zou hij aan dit incident terugdenken, in de oorlog, toen hij ontdekte dat Leonard al geruime tijd op zolder een vriend verborgen hield. De tijd viel weg, Doornstam had de zonderlinge gewaarwording als werd het onbegrijpelijke plotseling verklaard, als was het zwijgen van het kind bij de appelrekken slechts een voorproef geweest van de veel pijnlijker en hardnekkiger stilten en spanningen tussen hem en zijn volwassen zoon. De liquidatie van een beruchte collaborateur had tot verscherpte maatregelen geleid, omdat de daders zich niet gemeld hadden. Doornstam vermoedde op bepaalde gronden dat de gast op zolder – en dus ook Leonard – iets met deze geschiedenis te maken had. Hoewel Leonard niets losliet, misschien juist daarom, groeide Doornstams vermoeden tot bijna-zekerheid. Wat hij destijds op de appelzolder niet gekund had, kon hij nu: opgekropte razernij tegen Leonard, zichzelf, tegen de heimelijke troebelheid en verwikkelingen van een heel mensenleven, barstte los, hij deed wat hij nog nooit gedaan had, schreeuwde, vloekte, sloeg met zijn vuist op tafel: 'Je bent krankzinnig, een onverantwoordelijke gek, hoe durf je je moeder en mij en ons allen in gevaar te brengen, weet je dan niet wat dat nu, juist nu, betekenen kan? Wat heb je je ook te bemoeien met die vervloekte sluipmoordromantiek van de zogenaamde illegaliteit... laat die kerel, wie het ook is, onmiddellijk opdonderen.'

'Goed, dan ga ik ook,' zei Leonard.

'Waarheen als ik vragen mag?'

Leonard zweeg.

'Heb ik niet het recht te weten wat jij nu weer voor waanzin van plan bent?'

'Ik vertrouw u niet.'

'Durf je te twijfelen aan mijn...'

'U hebt zich niet verzet tegen Eduards benoeming, dus bent

u het daarmee eens. Nu rechter worden, dat is collaboreren.'

'Je weet niet wat je zegt. Je bent vergiftigd door de praat van die anarchisten met wie je omgaat.'

Leonard was zonder een woord te zeggen de kamer uit gegaan.

Sera keek door de etalageruit naar binnen. In de winkel stonden porseleinen wc's en bidets van verschillend model ordelijk naast elkaar, onder een rij vaste wastafels in wit en zeegroen en bont gevlekt marmer. Overal waren zeepbakjes, nikkelen rekjes en glazen planchetten gemonteerd. Neonbuizen tegen het plafond verspreidden een koud licht. Sera drukte de deur open. Van achter de toonbank kwam snel een man naar haar toe, die zij niet gezien had toen zij naar binnen keek.

'Dame, wat wenst u?'

'Bent u meneer Deemster zelf?' vroeg Sera, hoewel zij daar eigenlijk niet aan twijfelde, zij herkende de wat vlezige neustop, de donkerbruine ogen van Stans. De glimlach op zijn gezicht werd een nuance minder gedienstig. Er kwam een glimp achterdocht in zijn blik.

'Zeker, waarmee kan ik u van dienst...?'

Sera liet hem niet uitspreken. 'Ik zou graag even met u willen praten. Ik kom van uw dochter Stans.'

Deemster keek snel links en rechts naar het roerloze glanzende sanitair, als was hij bang voor verborgen luisteraars. Hij scheen wat in te krimpen. 'Waar gaat het over, als ik vragen mag?' Zijn stem had de bestudeerd joviale en tegelijk serviele klank, het accent van de vlotte zakenman verloren. Het geluid dat nu uit hem kwam, was wat dun en geknepen, met een ondertoon van zeurderige kwaadaardigheid.

'Zou ik u misschien even onder vier ogen kunnen spreken?' vroeg Sera aarzelend, met een blik op de deur achter de toonbank. Deemster haalde onwillig zijn schouders op, maar liep toch naar een met plastic gordijnen afgesloten poortje en riep door de opening: 'Hé daar, kom es effe in de zaak, ik moet privé ontvangen!'

Er klonk geschuifel, en een jongen in een bruine stofjas verscheen tussen de gordijnen.

'Nou, gaat u maar mee.' Deemster hield de deur voor haar open. Door een nauwe gang vol stapels kartonnen dozen ging hij haar voor naar een muffe koude achterkamer. Hij wees op een stoel.

'Wat heeft die meid nou weer uitgespookt?'

'Uw dochter is ziek,' zei Sera, zonder hem aan te kijken. 'Zij zit in moeilijkheden. Zij moet een dokter hebben, misschien wel opgenomen worden. Zij heeft geld nodig.'

'Natuurlijk, dacht ik het niet. Geld, wel ja. Ze is ziek en nou moet ze geld hebben. Als ze gezond is zie ik haar niet, maar als ze ziek is stuurt ze om geld. Ze heeft me niet nodig als ze niks mankeert, nu mag ze zichzelf ook alleen uit de puree helpen. Zeg maar tegen haar: met de complimenten van haar vader. Wat mankeert haar eigenlijk?'

Terwijl zij het hem vertelde, hield Sera haar ogen gericht op het patroon van het verschoten karpet. Deemster bewoog zich niet, maar hij begon zwaar en met geruis te ademen.

'Die slet!' zei hij tussen zijn tanden toen Sera zweeg. 'Die lelijke gemene meid. Ik wist het wel. Ik heb het altijd wel gedacht. Ik heb haar gewaarschuwd. Ze had hier in de zaak kunnen helpen, nietwaar, dat had me een hoop onkosten bespaard. Maar nee, de juffrouw voelde zich te goed voor deze branche. In de lingerie is ze gegaan, en later in zo'n parfumwinkel. Bordelen zijn dat. De kerels die daar binnenkomen, zogenaamd om zeep of odeklonje voor hun vrouw, maken afspraken met al die meiden. Denkt u niet dat ik maar wat zeg. Ik heb... ik hád een relatie, een particulier detective. Nou, als die een boekje opendeed. Die meiden uit luxewinkels, het grootste tuig dat er is. Afijn, Stans is daar natuurlijk grondig verpest. Ze ging toen ook al met artiesten uit, schrijvers, schilders, weet ik veel. Toen is het haar helemaal in haar bol geslagen. Steno en typen leren moest ze met alle geweld. Op zichzelf had ik daar geen bezwaar tegen. Mijn relatie – die meneer van het informatiebureau – wou haar dadelijk voor halve dagen in dienst nemen. Maar niks hoor, dat deed de juffrouw niet. Een van die dichters heeft haar op zo'n uitgeverij gekregen. Toen heb ik tegen haar gezegd: zoek het nou verder zelf maar uit.'

'U moet haar nu helpen. Zij heeft niemand anders dan u.'

'En die kerel dan die haar dat gelapt heeft?' Deemster sloeg zo hard met zijn vuist op tafel dat een vaasje met plastic rozen omviel. 'Waar zit die dan? Laat hij voor de zaak opdraaien, dat is tenslotte niet meer dan fatsoenlijk.'

'Dat kan niet.'

'Zo, en waarom kan dat niet? Dat zou ik wel eens willen weten. Als u me zegt wie die vent is, zal ik het hem zelf wel gaan vertellen. We leven niet meer in 1900. Tegenwoordig gaat dat zo maar niet. Nu kunnen we de heren dwingen hun plicht te doen. Ik wil er verder niks mee te maken hebben, dat zal ik hem ook zeggen.'

'Het kan niet.' Sera zocht naar woorden. 'Stans weet niet waar hij is. Daar heeft zij nu niets aan. Zij heeft zo gauw mogelijk verzorging nodig.'

'Ik verdom het!' riep Deemster terwijl hij van zijn stoel opsprong. 'Ik doe het niet. Ik heb trouwens geen cent. Geen cent, hoort u. De zaak, mijn voorraad, allemaal niet van mij. Dat moet ik eerst nog afbetalen. Ik zit tot hier in de schuld. Dat weet Stans, dat weet ze verdomd goed. Ik heb mijn leven lang moeten ploeteren om mijn kop boven water te houden. Vraagt u haar maar of ik wat missen kan. Ja, als ik kreeg waar ik recht op heb. Als alles eerlijk toeging in de wereld, was ik nou een man in bonus, dan zat ik hier niet. Dan woonde ik op de Apollolaan...'

Hij trok het hoofd tussen de schouders, alsof iemand hem onverhoeds een klap gegeven had. 'Dat ze me zoiets aan moet doen. Juist nu. Ik heb net mijn beste vriend verloren, helemaal onverwacht, ik ben er nog kapot van. Een kerel uit een stuk, had ik veel steun aan, die hielp me mijn kop boven water houden.'

'Stans is toch uw dochter,' zei Sera. Zij had niet veel hoop meer dat dit gesprek positieve resultaten zou opleveren.

'Juist daarom!' riep Deemster met de ijzerharde logica van domme mensen. 'Omdat het mijn dochter is, ga ik erover, en ik alleen, en ik zeg nee. Wat hebt u er trouwens mee te maken? En wie bent u eigenlijk, juffrouw, mevrouw...?'

'Doornstam,' vulde Sera aan. 'Ik heb...'

Zij ging niet verder. De naam Doornstam bracht bij Deemster een voor haar onbegrijpelijke en bijna angstaanjagende reactie teweeg. Eerst bleef hij haar aanstaren alsof hij zijn oren niet geloven kon. Er trok iets glazigs over zijn gezicht, het leek alsof hij vanbuiten verstarde, maar innerlijk uiteen brokkelde.

'D... Doornstam?' herhaalde hij. 'Van de Keizersgracht?' Hij kon de woorden haast niet over zijn lippen krijgen. 'D... die vroeger advocaat was?' stootte hij uit, met zware tong.

'Ik ben zijn schoondochter.'

'Dat is zeker opzet! Weer een gemene streek! Als je maar weet dat ik mij niet laat belazeren!' schreeuwde Deemster plotseling, stampvoetend, speeksel blonk op zijn lippen. Sera ging een stap achteruit.

'Ja, u zal het niet begrijpen! Doorgestoken kaart allemaal. U hebt wél lef, dat moet ik zeggen.'

'Ik weet niet waar u het over hebt,' zei Sera, te verbaasd om angst te voelen.

'Zelf wil-ie me niet zien, heeft-ie me nooit willen zien, hè, een ander mocht altijd het vuile werk opknappen. Wat willen jullie van me? Wat proberen jullie me nu weer te leveren?'

Sera vermoedde dat Deemster vroeger met haar schoonvader te maken had gehad, als tegenpartij in een proces, als teleurgestelde cliënt misschien. 'Meneer Deemster, ik begrijp werkelijk niet wat u bedoelt, ik weet nergens van, ik ben hier alleen voor Stans gekomen.'

Deemster boog zich voorover en bracht zijn rode bevende gezicht dicht bij het hare. 'Dat is juist het smerige. Via mijn kind, hè? Zo durf je wel. Wat hebben jullie met haar uitgehaald?'

'Ach, u bent niet wijs.'

'U bent dus getrouwd met het kneusje, zogezegd,' zei Deemster met een lelijke lach. 'Met de jongste zoon, waar ze nooit raad mee wisten, ja, ik ben op de hoogte, dat hoort u wel.'

'Ik ga liever weg.' Zij probeerde langs hem heen te lopen, maar hij versperde haar de doorgang naar de deur.

'Hij schaamt zich voor mij, meneer de advocaat, vanwege die geschiedenis in de oorlog. En toch was ik maar een klein NSB'-ertje, een mannetje van niks, uit idealisme trouwens, dat er eens wat veranderen zou in die bezeten wereld waar we in leven, ik heb niet geprofiteerd... terwijl meneer Doornstam... o nee, ik zeg niks, hij was niet fout, hij heeft niets verkeerds gedaan, hij heeft alleen maar verkeerd láten doen, vat u wel? Hoe is die zwager van u aan zijn mooie baan bij de rechtbank gekomen in '43, ziet u, dat weet ik nou allemaal weer, al ben ik volgens u niet wijs. Daar voelde meneer de advocaat zich niet te goed voor, om z'n zoon in het zadel te helpen.'

'Het gaat u niets aan,' zei Sera.

'O nee?' riep Deemster, blazend van woede nu. 'Gaat dat me niet aan? Wacht maar. Je zal eens zien hoe me dat aangaat! Ik geef het niet op. Vechten zal ik, tot het laatste toe, om te krijgen wat me toekomt, misschien niet voor de wet, maar zedelijk voelt u, zedelijk! Ik ben geen haar minder dan die fijne profiteur die nu rechter is, of dan die man van u...'

'Laat me door.' Zij duwde hem weg met alle kracht waarover zij beschikte.

'En voor Stans geen cent!' schreeuwde hij haar na terwijl zij door het gangetje en de winkel heen naar buiten liep. 'Ik laat me niet chanteren, jullie krijgen me niet klein door mijn dochter naar de verdommenis te helpen. Moordenaars!'

De kleine Louis Deemster had altijd torenhoog opgezien tegen oom Arent in zijn zwarte uniform met de glimmende knopen. 'Oppassen, jij!' De geheven wijsvinger, de streng gefronste wenkbrauwen of dreigend wijd opengesperde ogen, de brede behaarde handen, steeds klaar om een tik of een klap te geven. Louis wist al vroeg dat hij meer moest oppassen dan andere kinderen. Ten eerste omdat hij in huis woonde bij oom Arent, die agent van politie was, en van 's ochtends vroeg tot 's avonds laat hamerde op de plicht van gezagsdragers om een onkreukbaar smetteloos leven te leiden, er mocht niets, maar dan ook niets aan te merken zijn op een man in uniform – en ten tweede omdat hijzelf, Louis, geen vader had en zijn moeder slecht en dom was geweest, zoiets kreeg je mee, je was dan bij je geboorte nog meer dan een ander van nature geneigd tot het Kwaad en de Zonde. Dat zei zijn tante Bertha, die heel vroom was, iedere zondag tweemaal naar de kerk ging en dagelijks prevelend met gespitste lippen in de bijbel las.

Toen hij als zestienjarige bij zijn oom en tante uit huis ging om zijn eigen brood te verdienen, hadden zij hem verteld dat zijn vader wel degelijk nog leefde, en ook wie dat was. Een meneer van stand, wiens familie jarenlang kost- en schoolgeld voor Louis had betaald. Het was al mooi geweest, zo, als niet erkend natuurlijk kind kon hij geen enkele aanspraak doen gelden. In het begin had hij zich dan ook neergelegd bij het feit dat hij niets kon doen. Met de hem hardhandig door oom Arent ingeprente eerbied voor 'heren' en gezagsdragers, had hij Doornstam ook nooit persoonlijk durven benaderen. Hij had hem wel vanuit de verte bespied, op straat, of vanaf de publieke tribune, wanneer Doornstam moest pleiten. Mijn vader, zei hij dan bij zichzelf, dat is mijn vader. Hij verbeeldde zich dat er een familiegelijkenis tussen hen beiden was. Soms keek hij onderzoekend in de spiegel. Was het maar zo duidelijk geweest dat het iedereen opviel, dat de mussen het van de daken schreeuwden. Dan zou Doornstam hem wel moeten erkennen, dacht hij naïef, of dan had hij (intussen had hij over dergelijke zaken zijn licht opgestoken) misschien een proces kunnen voeren. En dan nog... hoe kwam hij ooit aan het benodigde geld voor zoiets? Hij wist dat Doornstam twee zoons en een dochter had. Van verre volgde hij hun doen en laten, soms las hij hun namen in de krant: studentenfeesten, roeiwedstrijden, een promotie, een deftige bruiloft. 's Avonds liep hij wel eens langs het huis aan de Keizersgracht, of stond hij aan de overkant van het trage dofgroene water te kijken naar die gevel met spiegelende ramen, de hoge stoep, het dak met daarbovenop dat beeld, dat altijd een grimas van weerzin en zelfgenoegzame minachting op zijn gezicht te voorschijn riep. Een wellustig vrouwmens met een staart, wie heeft er zoiets op zijn huis. Rancune en naïef geloof in maatschappelijke verbeteringen hadden hem in de NSB gedreven. Tijdens de oorlog had hij pas echt durven toegeven aan zijn toekomstverwachtingen. Wat eerst alleen zielige wensdromen geweest waren, zou nu werkelijkheid kunnen worden, als hij maar geduld had, als hij maar op het juiste ogenblik wist toe te slaan. Maar alles liep anders. Hij won er niets bij, integendeel, hij verloor alles. Als landverrader ging hij een kamp in, nadat de moeizaam vergaarde bezittingen, het ten langen leste onder protectie van de bezetter vrij aardig opgebouwde zaakje, hem waren afgenomen. Hij had geen vooruitzichten meer.

Deemster had de detective Spiedes bij toeval ontmoet, toen zij eens op een zondag naast elkaar aan de Bosbaan hadden zitten vissen. Deemster deed dat vaak, zij het ook zonder veel animo, eigenlijk alleen om er zo makkelijk en goedkoop mogelijk eens even uit te zijn. Boven de hengel kon hij, kauwend op zijn sigaar, urenlang met fatsoen blijven broeden over wat het leven hem had onthouden en aangedaan. Het liet hem onverschillig of hij iets ving of niet. Het vele groen, het likkende geluid van kleine golfjes aan de kant maakten hem slaperig, en halverwege de middag ging hij dan ook meestal languit in het gras liggen, met zijn zakdoek over zijn gezicht. Spiedes was hem op die bewuste zondag meteen opgevallen, omdat hij een keurige uitrusting had, alles compleet en eersteklas spul, tot een klapstoel met verstelbaar zonnescherm en een picknickmand toe. Bovendien zag hij eruit alsof hij zich uitstekend vermaakte. Bij een boterham was het tot een gesprek gekomen, en 's avonds waren zij samen naar huis gefietst. Sindsdien had Deemster voor Spiedes een aan verering grenzend gevoel van dankbare vriendschap gekoesterd. Het kleine bleke mannetje met zijn dunne lippen en felblauwe blik achter brillenglazen die alles zag, zijn sproetige schedel glimmend onder spaarzame rossige haren, en zijn hoge zelfverzekerde stem, voedde de wees Deemster moederlijk met kennis, voedde hem vaderlijk op tot inzicht.

'Zie je, Deemster, dat zit zo...' begon hij in ieder gesprek op een bepaald ogenblik, en dan kwam er een verhandeling, waar Deemster alleen maar eerbiedig knikkend naar kon luisteren, over politiek of geloof, vissen of bijenteelt, over ruimtevaart of mayacultuur, belastingproblemen of de fijne kneepjes van de parlementaire democratie. Spiedes bezat de kennis en het geduld van een onderwijzer, gekruid met een scheut heimelijke geringschatting. Was Deemster intelligenter geweest, dan zou Spiedes nooit in die mate als nu het geval was Doornstams belangen gediend en Deemster aan het lijntje gehouden hebben. Maar in bepaalde opzichten stond Deemster hem tegen. Hoewel Spiedes zich graag liet voorstaan op zijn onpartijdig oordeel, op zijn verdraagzaamheid en talent tot tactvol ogen sluiten, viel het hem moeilijk in de omgang met Deemster te vergeten dat die in de oorlog fout geweest was. Altijd wanneer hij die grote man met zijn rode gezicht zag binnenkomen, beving hem een lichte tegenzin, die hij snel wegpraatte in een vloed van woorden. Spiedes ontveinsde zich evenwel niet dat er bij hemzelf ook sprake was van een zeker schuldgevoel, omdat hij ten aanzien van deze naïeveling eigenlijk dubbel spel speelde. Hij hield zichzelf voor dat zijn bemoeiingen toch voor Deemsters bestwil waren. Bovendien hielp hij de man, gaf hij hem leiding, huiselijke gezelligheid zelfs.

Deemster kwam graag bij Spiedes. Het bovenhuis in de Concertgebouwbuurt met de twee ineenlopende donkere kamers, bizar gemeubileerd met gecapitonneerde leren stoelen en welgevulde boekenmolens van verouderd model, en moderne metalen kastjes voor kaartsystemen, oefende een soort van betovering op hem uit. Als hij daar een sigaar zat te roken, voelde hij zich meer man, vrijer ook, belangrijker, dan bij zichzelf thuis, in het nauwe flatje achter de zaak dat hij vooral als opslagruimte gebruikte, waar emballageartikelen, zeepbakjes en spiegels, stukken marmer en wc-zittingen vreemd contrasteerden met de prulletjes en kleedjes die zijn vrouw er destijds had uitgestald en die hij uit laksheid en primitieve angst voor de niet betreurde dode nooit had willen opruimen.

Bij Spiedes kon hij zijn hart luchten. Terwijl de detective

zachtjes en vlug heen en weer liep tussen zijn kasten en het cilinderbureau, laden open- en dichtschoof, papiertjes opnam en weer neerlegde, iets opzocht of nakeek, praatte Deemster ongeremd, over zijn grieven jegens de familie Doornstam, over zijn zorgen wat de zaak betrof, over zijn dochter Stans die haar gang maar ging, over de hele godvergeten waanzinnige toestand in de wereld van vandaag. 'Ja, zie je, Deemster, dat moet je zo zien...' zei Spiedes van tijd tot tijd, en dan volgden de befaamde uiteenzettingen die Deemster – hij constateerde dit met verwondering – woord voor woord kon volgen en die hij nog onthield bovendien. Hij bewonderde ook Spiedes' handigheid en zelfstandigheid in huishoudelijke aangelegenheden. Hoe die man zichzelf wist te helpen. Geruisloos rolde hij een serveerwagentje naderbij, waarop iets te eten en te drinken al kant-en-klaar stond. Nergens rommel of stof. Alles had zijn vaste plaats. Een dikke grijze kat – de zindelijkste en rustigste dieren, zei Spiedes prijzend – zat in de vensterbank naar vogels te kijken, of likte melk uit een schoteltje dat altijd op schone, pas gespreide kranten stond.

'Die Doornstam-affaire, dat moet je mij maar rustig laten afwikkelen,' zei Spiedes telkens weer aan het slot van dergelijke bezoeken. 'Dat is een slimme vogel, die oude heer. Juridisch gesproken krijg je geen poot aan de grond, hij staat sterk. En toch voelt hij zich niet zeker. Daar moeten we op werken, begrijp je? Zijn moreel knakken, zijn betere gevoelens wakker roepen, hoe je het noemen wilt. Maar dat moet voorzichtig aan. Zonder geduld bereiken we niets. Ik ken dat soort. Het kan lang duren, daar moet je je op voorbereiden.'

'Ik laat alles aan jou over, jij gaat je gang maar, jij weet het 't beste,' zei Deemster dan, gekalmeerd, leeggepraat, dankbaar voor zo'n vriend, zo'n raadsman.

Nu was Spiedes hem ontvallen. Deemster voelde die leegte als een verraad. Plotseling, zonder waarschuwende ziekte, zonder een teken, een voorgevoel, was Spiedes ertussenuit gegaan. De vrouw die eenmaal in de week zijn vloeren kwam dweilen en zijn ramen zemen, had hem gevonden. Hij lag in bed, netjes in zijn pyjama. De dood had hem in de slaap verrast. Deemster was, zodra hij het hoorde, in een opwelling van ongelovige wanhoop en razernij naar het huis van zijn vriend gegaan, maar daar werd niemand toegelaten. De deuren waren verzegeld. De overledene was al gekist en naar de rouwkamer van een begrafenisonderneming vervoerd.

Sera duwde voorzichtig tegen de deur en keek door een kier naar binnen.

'Woont Fosfer hier?' riep zij. De deur gleed krakend verder open. Een van de twee grote zolderramen was aan de binnenkant met jute bespannen, vermoedelijk tegen tocht, het andere gaf gordijnloos uitzicht op daken met televisieantennes en een breed stuk snel duisterende winternamiddaghemel. Het rook op de zolder naar bier en stopverf en karton. Er stonden, voorzover zij het onderscheiden kon, een paar tuinstoelen en een grote tafel beladen met de meest uiteenlopende materialen. Achter een dwars in de woonruimte geschoven boekenkast was het voeteneinde van een bed zichtbaar. Vanuit een verre hoek, waar een kleine kachel rood gloeide, naderde Fosfer op kousenvoeten, behoedzaam, als een grote kat. Hij droeg een bakje in een nijptang geklemd. Er siste iets.

'Jij alweer? Onze wegen kruisen elkaar voortdurend.'

'Neem me niet kwalijk...' begon Sera.

'Geen sprake van! Welkom! Je komt net op tijd om dit lood te zien stollen tot de meest grillige... hier,' zei hij, zichzelf onderbrekend. Hij liep naar de tafel en tilde met één hand een cascade van smalle spitse vormen op. 'Een mobile. Kijk, pennen zijn het, schrijfpennen. Ze veranderen voortdurend van richting, zo mobiel zijn ze. Ze moeten druipen van de substanties waarin ze gedoopt zijn, drek en bloed en venijn en kwijl en suikerstroop, dat komt nog, dat is alleen een kwestie van techniek.'

'Je hebt de Plume d'Or vergeten,' zei Sera sarcastisch.

Fosfer zond haar een snelle blik toe. Hij liet zijn tinkelend blinkend werkstuk op het tafelblad neerzakken tot een vormeloze hoop.

'Ze zeggen dat ik hem krijg.'

'Wie zijn "ze"?'

'Is het dan niet waar?'

'De jury heeft nog geen beslissing genomen.'

Het bleef even stil. Hij wendde zijn hoofd af en tuurde nadenkend door het raam naar de silhouetten der antennes. 'Ach, het kan mij eigenlijk niet schelen. Als het niet doorgaat, zal Joris er meer kapot van zijn dan ik. Ik heb blijkbaar alleen aan het gerúcht dat ik bekroond zal worden al een opdracht te danken. Draadplastieken voor een nieuw hotel dat ze in de binnenstad bouwen. Oudroest-composities tot lering en vermaak van de toeristen. Dingen als dít (hij raakte met een vinger de stukjes metaal van zijn mobile aan) omdat ik misschien een prijs krijg als díchter. Grotere nonsens heb je van je leven nog niet meegemaakt. Maar, man, ze betalen goed. Misschien kan ik in het voorjaar toch naar Ibiza. Er zij licht!' riep hij met schallende stem en trok aan een koord, waardoor hier en daar langs de wanden lampen gingen branden. De schemerdonkere uitgestrektheid rondom veranderde als bij toverslag in een met heterogene rommel lukraak gevulde ruimte. Sera liet zich in een van de met canvas bespannen ligstoelen zakken en bewoog haar vermoeide voeten heen en weer.

'Ik wou je iets vragen. Het is een lastig geval.'

'Kom je dan niet in verband met die prijs, om me te zeggen dat ik hem niet krijg – of juist wél?'

'Nee. Ik ben hier vanwege Stans Deemster. Ik hoor dat jullie goed bevriend zijn, dat jij haar destijds aan haar baan bij Joris hebt geholpen.'

'Dat is zo,' zei Fosfer. 'Het is een warrig, weerloos kind. Als ik haar zie voel ik dat ik iets voor haar moet doen. Maar ik zie haar tegenwoordig niet vaak.'

Sera vertelde hem wat er aan de hand was. Hij hoorde haar hoofdschuddend aan. Eenmaal onderbrak hij haar relaas: 'Als Joris haar ontslaat, ga ik met mijn bundel naar een andere uitgever.' Maar toen Sera het fatale nachtfeest op zijn zolder ter sprake bracht, maakte hij een traag, hulpeloos gebaar.

'Wat weet jij daarvan?' vroeg zij. 'Stans kan zich niets herinneren.'

'Ja, ze was toen hier, hoe lang is dat geleden, in september of zo. Met nog een hele troep, al die jongens van de Tent, je kent ze, met hun vleesetende orchideeën. Die rooie vrouw van hoe heet-ie ook weer, die beeldhouwer... Daar ben ik mee weggegaan, naar een atelier, een soort van spelonk, tussen stalactieten en stalagmieten...' Hij tekende bizarre vormen in de lucht, begon zacht te lachen en staarde in herinnering verzonken naar de grond.

'Ja, maar Stans Deemster dan?' vroeg Sera.

'O ja. Die is hier gebleven. Hoe was dat ook weer. Ze lag daar, ze kon niet meer op haar benen staan. Had ze gezelschap? Wel ja, die vent van die akelige essays... onze rationalist, onze denker!' zei Fosfer met rollende r's. 'Ik dacht dat ze bij elkaar hoorden. Niet te zien waar de een ophield en de ander begon. Frank Swaart, die was het.'

Frank Swaart was haar enig mogelijke steun en toeverlaat. Nog stelde zij het moment uit om hem in vertrouwen te nemen, zij schaamde zich, maar zij wist dat het nu niet lang meer duren mocht. De weken kropen voorbij. Geen bericht van Leonard, er kón geen bericht zijn. Sera verzorgde haar vader, deed het huishouden, reisde voor zondagsbezoek naar de inrichting waar haar moeder verpleegd werd. Mizet had het druk op kantoor, was ook 's avonds veel weg. Zij had altijd haast het huis uit te komen. Zij was onrustig en geprikkeld, maar hield haar zorgen voor zich. Sera was dankbaar voor Mizets afwezigheid: hierdoor werden haar de opmerkzame blikken en niet te ontwijken vragen van haar oudere zuster bespaard. Haar denken was een mechaniek geworden, dat telkens vastliep op een onherstelbaar defect onderdeel. Zij kon maar tot één punt komen, nooit verder. 'Wat moet ik doen, wat moet ik doen,' fluisterde zij telkens weer, terwijl zij bezig was met andere dingen. Wanneer haar vader 's middags sliep, holde zij langs de grachten en door de grijze straten achter het Haarlemmerplein, tot zij buiten adem was. Bij iedere bel liep zij de steile trap af en sprong dan van de tiende of elfde trede roekeloos naar beneden. Alleen in de kamer, drukte zij haar vuisten in de zachte wand van haar buik, als kon zij zo het ongewilde, verafschuwde, naar buiten persen.

'Je bent zo stil,' zei haar vader eens. 'Je moet geen verdriet hebben.'

Zij merkte dat hij met Mizet over haar sprak. Maar haar zuster kon in die dagen niet méér aan dan zij al te verwerken had. Sera zou vaak aan die tijd en aan Mizets woordeloze onrust terugdenken, later, in de hongerwinter, toen haar zuster bij een voedselspeurtocht langs boerderijen door een ongeluk om het leven gekomen was.

Eens, tijdens een haastig ontbijt in de keuken (zij aten meestal staande voor het aanrecht) barstte Mizet uit: 'Zet Leonard uit je hoofd. Dat wordt toch nooit iets. Ten eerste zijn die ouders er vierkant tegen, dat weet je, en ten tweede zie je hem waarschijnlijk nooit meer terug. Zoek een baan, zodra vader beter is.'

'Wórdt vader beter?' vroeg Sera. Zij wisten eigenlijk beiden het antwoord al. Mizet pakte met zenuwachtig trillende vingers brood in een trommeltje. 'Ik weet mij geen raad met jullie. Zonder mijn salaris komen jullie om. Wat betekenen die zestig gulden huur van de bovenverdieping... Kan jij niet weer eens wat doen bij die mensen in A., zoals in november, toen je daar toneelstukjes geregisseerd hebt?'

Sera wendde haar hoofd af.

'De opbrengst is toch voor de goede zaak, daar zetten ze graag iets voor op touw. En voor ons zijn die paar tientjes die jij krijgt meegenomen,' zei Mizet scherp. 'Je kunt mij er niet alleen voor laten opdraaien. We weten niet wat er nog allemaal gebeuren gaat.'

'Nee, dat weten we niet!' schreeuwde Sera plotseling. 'Je hebt gelijk, je weet niet half hoe je gelijk hebt, maar hou je mond erover!'

'Wat heb jij ineens, wat bezielt je?'

Sera werd door een duizeling bevangen, zij moest zich aan het aanrecht vasthouden. Haar stem klonk haar van ver weg in de oren, als uit een put.

'Ik zal met Frank Swaart praten.'

'Ach wat, Frank. Frank is een schat, maar wat kan hij voor ons doen? Hij heeft nu genoeg aan zijn hoofd. En jij, pas jij alsjeblieft ook op. Je hoeft mij heus niet te vertellen dat je hem helpt, ik begrijp wel dat je bij hem zit of voor hem op stap bent als je hele dagen wegblijft. Maar hou rekening met vader, ik geloof dat hij zijn verstand zou verliezen als er iets met jou gebeurde. In godsnaam, kijk uit, anders ga ík met Frank praten om hem te zeggen dat hij jou niet voor allerlei gevaarlijke dingen... moet gebruiken...'

'Ik wil niet dat jij je ermee bemoeit!' mompelde Sera tussen haar tanden.

Want zij wás niet bij Frank, of bezig voor zijn groep, wanneer zij zo nu en dan eens een hele dag wegging, of 's nachts niet thuis kwam slapen.

Het hotel lag in een kale tuin, waar nog wat natte gele bladeren aan de struiken kleefden. Hoewel Mastland er de enige gast was, en hij de eigenaar kon vertrouwen, vermeed hij de gelagkamer en de serre met zitjes en had hij voor zijn bezoeken een achterkamer gehuurd, die tijdens de seizoensdrukte door het openen van schuifdeuren in een extra eetruimte veranderd kon worden. Er stonden een groot buffet en een tafel met pluchen kleed, op het donkere behang prijkten schilderijen in somber grijs, bruin en groen, landschappen van een schilder die hier eens een verblijf met eigen werk had betaald.

Mastland zat onder een schemerlamp te lezen. Er tikte een klok met hard gebarsten geluid. Het rook in die kamer, zoals overal in het hotel, naar ontelbare voorbije maaltijden, naar vocht en schimmel en zure appels en naar de nabijheid van het bos. Zodra Sera door de vrouw van de hoteleigenaar in deze schuilhoek was binnengelaten, begon Mastland al orders te geven, drank en gebakken eieren te bestellen. 'Je moet iets te eten hebben, je ziet er miserabel uit.'

Zij raakte niet aan wat hij haar voorzette, zij kon niet. Het maakte hem razend. 'Begin je weer. Kijk in de spiegel, kijk naar jezelf. Waarom mag ik niet eens voor je zorgen, waarom wil je nooit iets van mij aannemen? Wees niet bang voor misverstanden, ik weet dat ik je niet kopen kan, ik ken die trots van je, die vrijheidsdrang, wat is het eigenlijk? Gun me het genoegen je goed te doen, ik smeek het je.'

Zij at een paar happen, en stond toen haastig van tafel op om te verbergen dat zij onpasselijk werd. Zij drukte haar voorhoofd tegen het raam en trommelde op de vensterbank. Door het grove gaas van het met vliegenvuil bedekte gordijn zag zij de boerderij aan de overkant, een laag nieuw gebouw van baksteen met een rieten dak. Op de geschrobde klinkers voor de zijdeur stonden omgekeerde melkemmers en een rij klompen. In grote plassen regenwater lag de loodgrijze hemel weerspiegeld. Het was zo donker in de kamer dat zij Mastlands gezicht niet meer kon onderscheiden toen zij zich naar hem omkeerde.

'Dit is de laatste keer dat ik je die pakketten gebracht heb.'

'Natuurlijk zal ik het iemand anders vragen als het te lastig of gevaarlijk voor je wordt. Maar waar zie ik je dan voortaan?'

'Ik geloof dat het beter is wanneer wij elkaar niet meer ontmoeten.'

Hij stond op vanachter de tafel.

'Wat wil je eigenlijk? Vertel me in vredesnaam wat je wilt.'

'Dit kan zo niet doorgaan.'

'Trouw dan met me.'

'Dat kan niet.'

'Waarom niet?'

'Je weet wel dat ik niet van je houd.'

'Ben je daar zo zeker van? En wat betekent dat, liefde? Een jongemeisjesideaal. Jij zwerft maar rond, je hebt geen achtergrond, geen toekomst. Ik kan je alles geven, ik heb oog voor je kwaliteiten, voor iets in je wat anders is dan anders en wat zich rustig moet kunnen ontwikkelen. Ja, ik wil je ook hebben, waarom zou ik dat ontkennen. Ik ben niet van plan je los te laten. Ik zal wel maken dat je het prettig vindt met mij te leven.'

'Het is onmogelijk.'

'Heb je zo'n afkeer van mij? Wat kan je mij verwijten?'

Het vruchteloze gesprek liep dood in stilte. Tegenover elkaar zaten zij tot laat in de avond aan weerszijden van de kachel, Mastland met een boek, Sera verstrooid bladerend in vergeelde tijdschriften. Toen de hotelhouder met luid gerammel van sleutels deuren begon te sluiten en vroeg of hij het licht mocht uitdoen, klommen zij zwijgend de trap op naar de grote ijskoude slaapkamer die voor hen was klaargemaakt. Er stonden een tweepersoonsbed met hoog opbollende kussens, een spiegelkast, een commode, en in een hoek een ouderwets ijzeren kinderledikant. Sera kleedde zich vlug uit en ging zonder een woord te zeggen in het kinderbed liggen. Het was zo kort dat zij haar knieën moest optrekken.

'Je bent gek,' zei Mastland. 'Stapelgek.'

'Nee,' fluisterde zij gesmoord in het kussen.

'Je bent zo koppig als de hel.'

'Laat me maar. Ga alsjeblieft slapen.'

'Moet ik je soms op mijn knieën smeken om met me te trouwen?'

'Het geeft niets.'

'In godsnaam, waarom niet?'

'Ik wil niet. Het is verkeerd.'

'Als je ook maar een greintje medelijden hebt, leg dat dan uit.'

'Je wilt iets wat ik niet geven kan.'

'Ik vraag niets, alleen dat je bij mij blijft.'

'Dat is het juist.'

'Alles verandert wanneer je eenmaal mijn vrouw bent, geloof me. Je weet niets van het leven, je bent niet verwend. Ik zal goed voor je zijn. Later, als de oorlog voorbij is, moeten wij kinderen hebben...'

'O hou op!' schreeuwde Sera. Zij verstijfde van schrik. Het zweet brak haar uit, hoewel zij het koud had onder de dunne deken. Hij zei niets meer. Zij hoorde hoe hij in het andere bed ging liggen en het licht uittrok. Daarna werd het doodstil.

Zij droomde dat Leonard teruggekomen was, dat zij samen

waren. In haar droom wist zij met volstrekte zekerheid dat hun levens niet gescheiden konden worden. Zij waren in het huis aan de Keizersgracht; al bleef de omgeving vaag, het kon nergens anders zijn dan daar – maar de muren waren doorzichtig als glas, het huis hing in een zwartblauwe ruimte, grote blinkende wolken beschenen door een onzichtbare zon dreven langzaam voorbij. Leonard en zij zaten naast elkaar, strak rechtop, als een gebeeldhouwd Egyptisch koningspaar, schouder aan schouder, arm tegen arm, een warm vlak van aanraking en scheiding tegelijkertijd, zij voelde zijn adem onder zijn huid, hij moest haar luide hartslag kunnen horen.

'Ik wist het wel, ik heb het altijd wel geweten!' zei Sera hardop. Meteen schrok zij wakker, zij hoorde haar eigen stem. Toen zij zich bewoog, stootte zij zich aan de ijzeren stangen van het kleine bed. In de vreemde ruimte klonk nog een ander geluid, dat zij eerst niet kon thuisbrengen. Zij kroop overeind in het donker en luisterde. De lucht in de kamer was vochtig en kil, het rook er naar boenwas en weezoete toiletzeep en muf oud behang. Uit het andere bed klonk onderdrukt snuiven, een bevend ademen met hoog bijgeluid. Vol ontzetting gaf zij zich er rekenschap van dat Mastland lag te huilen.

'Dit was jouw kamer, weet je nog?' vroeg de vrouw van de clichémaker.

'Wat dacht u, tante Leen,' zei Frank Swaart. Hij dwong zichzelf tot een glimlach voor de vrouw, die, oprecht verheugd om zijn plotselinge bezoek na zoveel jaren, de deur voor hem openhield. Vandaag, juist vandaag, vond hij, had hem die blik in het verleden bespaard moeten blijven. Al stonden er andere meubels van een andere huurder, het was onmiskenbaar dezelfde kamer waarin hij in de oorlog een tijdlang had gewoond – de kamer die via een in de muurkast verborgen deur toegang had gegeven tot een schuilplaats met radio en stencilapparaat; de kamer waarin hij bijeenkomsten met zijn vrienden en medewerkers had gehouden; de kamer waar Sera Diem op een avond in de winter van '42/'43 meer dood dan levend was binnengekomen.

Hij had haar toen nog geen vragen gesteld. Tegen de arts, die hij 's nachts uit bed moest bellen, zei hij dat Sera zijn verloofde was. De dokter had gegronde redenen aan te nemen dat hier geen sprake was van een spontane abortus. Nooit zou Frank vergeten hoe die nog jonge maar al vergrijsde man met tranen in de ogen van woede tegen hem tekeer was gegaan. 'Godverdomme, jongen, idioot, blijf van haar af als jullie niet in de omstandigheden zijn om een kind te krijgen, of zorg ervoor dat er geen kind kan komen, je bent toch een intellectueel, kan je niet rekenen, kan je je mond niet opendoen om te vragen wat je zelf niet weet, godvergeten stommeling, en dan knoeien natuurlijk, met de kans dat er in zo'n lichaam iets onherstelbaar verpest wordt, of erger nog, ik zou jou met je kop tegen de muur moeten gooien...'

Frank had bij haar gewaakt, haar geholpen, haar gezicht en polsen afgesponsd, later de bebloede lakens uitgespoeld. Gedurende de twee weken dat zij in bed had moeten blijven – zijn bed – had hij op een matras in een hoek van de kamer geslapen. Hij had eten voor haar gekookt in de keuken beneden bij de clichémaker en zijn vrouw, die alleen wisten dat hij een zieke herbergde. Pas toen Sera hem begon te bedanken had hij, opgekropte spanning luchtend, tekst en uitleg geëist. Dat bleke gezicht tussen het glansloos geworden slordige haar, die houding van gedweeë lusteloosheid, zijn eigen voortdurend besef dat haar vader en zuster, wie hij ter verklaring van Sera's afwezigheid een ingewikkeld verhaal op de mouw gespeld had, in ongerustheid verkeerden, prikkelden hem tot ruw uithoren. Terwijl zij hem alles vertelde werd hij door de meest tegenstrijdige gevoelens bekropen. Hij kende haar al van de schoolbanken; altijd had hij van haar gehouden als van iets zeldzaams en kostbaars, om haar kwikzilverige opgewektheid, haar vermogen om onder alle omstandigheden een ontembare levenslust te behouden, haar volstrekte gemis aan berekening of aanstellerij. Meneer Diem praatte wel eens vertrouwelijk met hem, maakte hem deelgenoot van zijn zorgen om zijn gezin; al vroeg beschouwde Frank zich als Sera's rechtmatige toekomstige beschermer. Hij was vier jaar ouder dan zij; nog toen hij een jongen was had hij voor zichzelf nauwkeurig vastgesteld hoe hij in verband met haar zijn leven in te delen had, wat hij worden zou en op welke manier hij dat bereiken moest, wanneer zij zijn meisje zou kunnen worden, wanneer zijn vrouw. Het naïeve en potsierlijke van deze plannenmakerij was pas veel later tot hem doorgedrongen. Hij begreep toen ook dat Sera's ontmoeting met Leonard Doornstam een streep gehaald had door de zo zorgvuldig voorbereide ontwikkeling. Van de omgang tussen die twee begreep Frank echter niets. Hij vond Leonard pedant, saai en koel. Wanneer hij Sera aanviel om haar ingenomenheid met die 'hark', voelde hij onmiddellijk hoe zij zich van hem terugtrok. Hij besefte dat hij het contact met haar alleen behouden kon door Leonard te aanvaarden. Hij had dat ook gedaan, zij het met tegenzin, in de heimelijke hoop dat er vroeg of laat wel een einde aan die vriendschap komen zou wanneer Sera's vader geen les meer gaf bij de familie Doornstam. Wat dit betreft bleek hij zich echter vergist te hebben. Vanuit de verte was hij getuige van het effect van die onbegrijpelijke wederzijdse aantrekkingskracht. Hij kon vaststellen dat er iets was wat die twee aan elkaar bond, iets wat met de rede niet te verklaren viel, en wat evenmin beantwoordde aan het denkbeeld dat hij zich gevormd had van blinde verliefdheid.

Het bericht van Leonards vertrek had Frank met een mengeling van woede, triomf en minachtende verbazing aangehoord. Hij vond het een krankzinnig avontuur, ondernomen in een vlaag van hoogmoed: jawel, ze zaten daar aan de overkant op Leonard Doornstam te wachten. Uiteindelijk overheerste bij hem een gevoel van voldoening, omdat die jongen verdwenen was. Toen Sera ziek en radeloos bij hem haar toevlucht zocht, was zijn eerste gedachte geweest dat hij nu eindelijk het recht had Leonard te haten. Maar Sera's relaas confronteerde hem met dingen die hij niet voor mogelijk had gehouden. Ter wille van haar echte of ingebeelde liefde voor Leonard was hij, Frank, bereid geweest afstand te bewaren, genoegen te nemen met een plaats op de achtergrond van haar leven. Nauwelijks echter was Leonard weg, of zij had zich aan de eerste de beste vergooid. Dit besef stak dieper dan alle vroegere teleurstellingen. Het vernietigde een hoop die hij ondanks alles was blijven koesteren. Dat zij ieder contact met die Mastland verbroken had, maakte geen verschil. Frank kende Mastland niet persoonlijk, maar had wel het nodige over hem gehoord. In kringen van het verzet genoot Mastland de reputatie onverschrokken en hard te zijn, een man zonder scrupules of idealen, die even grif te vinden was voor zwarte handel als voor overvallen en hulp aan onderduikers. Frank twijfelde er niet aan dat Mastlands verhouding tot Sera gebaseerd was op deze opportunistische instelling. Hij had eenvoudig genomen wat binnen zijn bereik kwam. Sera's overtuiging dat zij Mastland gegriefd had door haar weigering verder nog met hem te maken te hebben, vond Frank absurd. Sera was echter niet van die gedachte af te brengen. Wist zij zelf wel wat zij voelde? Het bleef in de maanden die volgden niet voor hem verborgen dat zij weigerde Mastland te zien of te spreken, en dat zij de brieven die hij haar stuurde ongelezen verscheurde. Maar toen in het laatste oorlogsjaar bekend werd dat Mastland door de Duitsers gevangengenomen en doodgeschoten was, rouwde zij om hem als om een vriend.

'Ja, dank u,' zei Frank tegen de vrouw, terwijl hij langs haar heen de deur zachtjes sloot. 'Het lijkt gisteren dat ik hier woonde.'

'Waar blijft de tijd, hè?' Zij gingen de trap af. Over haar schouder knikte zij hem toe. Aan de muren hingen nog dezelfde gedrapeerde gebatikte doeken, dezelfde schilderijtjes. Frank raakte met zijn hand even een van de glimmend gepoetste koperen prulletjes aan die op een rek boven de gangspiegel waren uitgestald.

'Die ken je niet, die had ik toen verstopt!' zei zij zegevierend. 'Al mijn koper zat onder de grond, in de tuin van de buren. En niets bedorven toen ik het na de oorlog opgroef, allemaal nog even mooi. Je hoorde dat zo vaak toen, hè, van koper dat aangetast was, dat een en al gat tevoorschijn kwam.'

Frank nam zijn jasje van de kapstok. 'Doe mijn groeten aan

oom Dirk. Zeg alsjeblieft tegen hem dat ik klaarsta als ik iets voor hem doen kan...'

'Ach, wat zou je kunnen doen?' Er trok een schaduw over haar kinderlijke goedige gezicht. 'Het is erg aardig van je dat je meteen naar ons toe gekomen bent. Hij maakt zich zorgen, hij slaapt er niet van. De zaak is alles voor hem, dat weet je. Als er nou maar een regeling komt, dat hij het werk kan uitbesteden en zijn mensen doorbetalen. Maar ja, of dat lukt... Wat maakt het uit voor die daarnaast, die dat hotel bouwen?' vroeg zij plotseling heftig. 'Dat is een miljoenenonderneming, je moet het zien, zegt Dirk, de duurste materialen, het schijnt dat er een vestibule komt van zwart marmer en een eetzaal met mozaïekmuren en weet ik veel wat allemaal, het mooiste van het mooiste, vaste tapijten en televisie op alle kamers... Begrijp jij nou, dat mensen die er zoveel tegenaan kunnen gooien niet op de gedachte komen een ander die verlies lijdt door hun zaken schadevergoeding te betalen?' Zij keek hem angstig en dringend aan en greep hem vast bij zijn mouw.

'Wie weet hoe het nog loopt,' zei Frank troostend.

'We hebben nou een advocaat.'

'Een goeie?'

'Dirk zegt van wel. Hij heeft die naam wel gezegd, maar ik ben het weer vergeten. Het is iemand die Dirk nog uit de oorlog kent.'

'Zo?' zei Frank. Hij bleef een ogenblik nadenkend staan. 'Dat moet ik Dirk eens vragen. Ik kom een dezer dagen nog wel langs. Zeg hem dat hij niet bij de pakken neer mag gaan zitten. Er bestaat tenslotte zoiets als de publieke opinie. Ik werk niet voor niets bij een krant.'

'Ach, een hoop herrie, dat is niks voor Dirk,' zei de vrouw mismoedig. Zij liep voor hem uit naar de deur. 'Dag jongen, bedankt.'

Hij treuzelde nog even op de smalle stoep. Het beeld van de gevels aan de overkant, van de borden met opschriften naast de deuren of boven de winkelramen, vervulde hem met een weemoedig gevoel van herkenning. Hoe dikwijls had hij destijds de impressie van die huizenreeks op zijn netvlies meegedragen, als hij, innerlijk bezig met geheel andere dingen, het huis verliet. Na die geschiedenis met Sera, in '43 en '44, was het pas ernst geworden. Hij en zijn vrienden hadden zich waar het hun activiteiten betreft niet beperkt tot het organiseren van bonkaarten en het verspreiden van gestencilde radioberichten uit Engeland. Dit werk had Sera voor een deel overgenomen. De kamer in het huis van de clichémaker was in die jaren – vooral na de dood van haar vader – haast evenzeer háár domicilie geweest als het zijne. Zij had een eigen sleutel en kwam en ging zoals het haar schikte. Soms sliep zij er ook, als hij weg was. Ontmoetten zij elkaar een tijdlang niet, dan waren er toch signalen over en weer, een opengeslagen boek op tafel, een glimmend gewreven appel als geschenk op het hoofdkussen, een briefje in geheimschrift, haar haren in zijn borstel, en een enkele maal, in de prullenmand, een verfrommeld stuk papier met versregels. Die schokten en ontroerden hem meer dan de tekenen van haar lijfelijke aanwezigheid. Hij las eruit wat zij anders hardnekkig verzweeg, het gevoel rond te dolen in een leegte, vanbinnen aangevreten te worden, dag en nacht, door een onherstelbaar gemis.

Thuisgekomen botste Sera in de bovengang tegen Dorit en Casper op, die vechtend om een doos met kleurkrijt van de ene hoek naar de andere stoven. Digna verscheen met een bezorgd gezicht op de drempel van haar kamertje.

'Ik dacht dat je nooit meer kwam. Er zit binnen een mevrouw op je te wachten.

'Wie?' vroeg Sera, terwijl zij met sussende woorden maar hardhandiger gebaren de kinderen trachtte te scheiden.

'Ik bijt je, rotzak!' schreeuwde Dorit.

'Ha, ha,' hoonde Casper.

'Zeg toch dat ze ophouden, het is om je dood te schamen!' fluisterde Digna met een rood hoofd van ellende. Sera gooide met één hand haar mantel en hoofddoek op de trapleuning.

'Wie is het dan, wat komt ze doen? Hou op jullie, onmiddellijk.' Zij rukte driftig aan Dorits schouder en gaf Casper een draai om zijn oren.

'Bemoei je er niet mee!' riep Casper stampvoetend. Nu hun gevecht verstoord werd, koos Dorit dadelijk zijn partij, ook zíj stribbelde fel tegen in Sera's greep.

'Oorwurm dat je bent!'

'Dat heb ik nou altijd graag willen zijn, hoe raad je het zo! Toe, er is bezoek. Ga alsjeblieft naar boven en hou je even kalm...'

'Wat moet die mevrouw denken!' siste Digna radeloos.

'Ach, het is geen mevrouw, ze heeft een leren jas aan!'

'Een dikke nozem!' gierde Casper. Sera duwde hen de zoldertrap op. Digna vluchtte haar kamertje in en sloeg de deur dicht. De bezoekster stond op zodra Sera binnenkwam. Zij droeg inderdaad een lange bruinleren motorjas, mannelijk, bijna militair van snit, met een brede ceintuur om het middel. Haar zware figuur, met volle boezem, en haar meisjesachtig rond gezicht tussen de slippen van een gebloemde doek vormden een vreemd contrast met die kledij. Zij had rode werkhanden, met grove nagels; zij rommelde in een grote tas van groen plastic, en nam daar een enveloppe uit.

'U hebt op mij gewacht?' vroeg Sera.

'Ja... ik ben al eens voor u aan de deur geweest, maar toen was u niet thuis. Ik ben mevrouw Ramper. Ik kom in verband met de woningnood. Is het u bekend dat in de binnenstad de toestand zo erg is dat gezinnen uit elkaar gerukt worden, huwelijken kapotgaan, kinderen, kleine kinderen, geestelijk en lichamelijk in nood verkeren...?'

Sera keek bevreemd in de glansloze bleekblauwe ogen. De vrouw maakte de indruk van iemand wie men een les heeft ingeprent. Er was iets mistroostigs en stars in haar, alsof de zaak haar persoonlijk niet raakte. Toch vertelde zij verschrikkelijke dingen. '...De buren hoorden het kind schreeuwen en zijn gaan kijken. Stel u voor, de ratten hadden al aan de voetjes geknaagd...' Zij haalde met haar dikke bevende vingers een stuk papier uit de enveloppe en stak dat Sera toe. 'Er moet iets gebeuren. Het gaat zo niet langer. De mensen hebben een geweten, ze zijn niet harteloos. Maar ze zijn niet op de hoogte van de toestand. Ze moeten wakker geschud worden. Dan zullen ze niet meer dulden dat er zoveel geleden wordt. Honderden adhesiebetuigingen heb ik al, mevrouw. Wilt u ook tekenen? Hier op de streep alstublieft. U doet er een goed werk mee.'

Terwijl Sera het papier aannam en zich opmaakte te lezen wat er geschreven stond boven de plek waar zij haar naam moest zetten, klonk op zolder luid voetengebonk en geschreeuw van Casper en Dorit. Zij wierp een schuldbewuste blik naar de vrouw, die verschrikt stond te luisteren. 'Ze vechten alweer,' zei Sera, met een kleur van schaamte en ergernis. Zonder verder naar het papier te kijken, zette zij haastig haar handtekening.

'Iemand heeft zich pijn gedaan, ga er maar gauw naartoe.' De bezoekster had de lijst al teruggenomen, zij liep naar de deur, intussen de enveloppe in de tas duwend, die zij tegen haar borst gedrukt hield.

'U komt er zeker wel uit?' wilde Sera zeggen, maar iets aarzelends en schuws in de houding van de andere daar bovenaan de trap wekte haar medelijden op. Zij hoorde Leonards stem op zolder, zij kon niet verstaan wat hij zei. Hij moest vroeger dan gewoonlijk thuisgekomen zijn. Zij ging de vrouw voor naar beneden.

'Prachtig woont u hier. Dat is pas een huis. Het is ongelijk verdeeld in de wereld, mevrouw. Ik ben ook best tevreden, ik heb een heel nette woning. Maar er zijn mensen die als beesten moeten leven. Erger nog. Als u die hokken kon zien...'

Het hok van Stans Deemster, dacht Sera. Zij moet daar weg. Ik ga onze dokter opbellen.

'O, wat een pracht, al dat marmer, en die ruimte. Dat hoeft u zeker niet zelf schoon te houden?'

De bezoekster liep voorzichtig, om niet uit te glijden, over de glanzende tegels naast de loper. Zij hield de plastic tas nog steeds in haar armen alsof zij een kind droeg.

De dokter bellen, dacht Sera, werktuiglijk knikkend in antwoord op het praten van de andere. Straks, in papa's kantoor, als zij aan het eten zijn. Uit het souterrain steeg een geur van gesmolten boter op.

'Nou, mevrouw, u wordt bedankt.'

'Ik hoop dat u succes hebt,' zei Sera terwijl zij de voordeur opende. De vrouw stapte snel naar buiten. Op de stoep keek zij schichtig naar links en naar rechts. In de verte klonk het geluid van een claxon.

Dorit had zich bij het vechten met Casper bezeerd aan de scherpe ijzeren hoek van een kist op zolder. Zij lag op haar bed, met een handdoek om het geschramde been gewonden. Tranen glinsterden op haar wangen, maar zij gierde alweer van het lachen. Om haar af te leiden van de pijn en de schrik bij het zien van haar eigen bloed, vertoonde Leonard het mimische succesnummer dat hen sinds hun kleutertijd gegarandeerd dolle pret bezorgde: een vis in het aquarium. Beurtelings zijn wangen bol blazend en lucht happend met getuite lippen, zweefde Leonard op zijn tenen langs de open deur van Dorits kamer; zijn grote handen liet hij als de vinnen van een sluierstaartvis los ter hoogte van zijn zijden wapperen. Casper wrong zich schaterend in bochten op een koffer. 'Moet je vader zien, moet je vader zien!'

Zodra Leonard Sera boven zag komen, bleef hij stilstaan, ondanks de luide protesten van de kinderen.

'Doe jij een verband om Dorits been, het bloedt nogal.'

'Dag, je bent vroeg thuis vandaag.' Zij raakte zijn hand aan en ging naast hem staan, hopend op een begroetingskus, maar hij zei vaag: 'Ja, goed, ik ga nu maar weer naar beneden, ik heb nog iets te doen vóór het eten.'

Zij voelde kilte tussen haar ribben, een kleine ijzige druppel pijn. Van de kinderen afgewend rommelde zij in de verbandtrommel. Dorit begon te jammeren toen zij het flesje jodium tevoorschijn zag komen.

'Als je je mond houdt, zal ik mijn opstel voorlezen terwijl moeder je verbindt,' zei Casper. Sera hoorde hem, zonder de zin van zijn verhaal te volgen, zij voelde ook onder haar handen de warme huid en het nerveuze bewegen van Dorit. Zij trachtte zich te verdiepen in de gedachtegang, het bewustzijn van Leonard. Zij wist dat hij verband legde tussen de wildheid en vechtlustigheid van de kinderen en haar afwezigheid tot laat in de middag, zij wist ook dat hij gelijk had. Zij begon naar Casper te luisteren.

'...Daar kwam op wieletjes de elektronische uitkleedmachine aangerold. Deze bleef vlak voor Gijs' voeten staan en Gijs stapte in. Hier werd hij, zonder dat hij er iets voor hoefde te doen, uitgekleed door kleine ijzeren handjes...'

Wachtend tot de aardappels gaar zouden zijn, keek zij in gedachten verzonken uit het keukenraam. De huizen stonden zwart tegen de nachtblauwe winterhemel. Lamplicht blonk helderwit of geelachtig in tientallen raamvlakken. De bomen in de achtertuinen, zichtbaar bij dat schijnsel, bewogen heen en weer in de wind. Op zolder galmden de stemmen van Dorit en Casper, die in Dorits bed een zeeroversschip gemaakt hadden.

'Geef je over, pief paf, beng!'

'Ik ben Makarios de derde!'

'Voorzichtig nou!' riep Sera luidkeels, bezorgd voor nieuwe ongelukken. Door een kier van de deur kon zij binnenkijken in het kamertje van Digna aan de overkant van de gang. Het kind zat onder de lamp aan haar tafel, het ronde zijdeachtig glanzende hoofd gebogen over schriften.

Achter de muur aan Sera's linkerhand ratelde dof de schrijfmachine van Leonard. Zij nam het deksel van de pan en prikte in de aardappels. Terwijl zij dat deed, overviel haar plotseling een gevoel van onmetelijke verbazing. De bomen, de huizen, de priemende sterren in de lucht, de pannen op het fornuis in de keuken vol wasem, het gestommel van de kinderen boven, Digna's eenzame hoofd in het lamplicht, Leonards aanwezigheid achter de muur, zijzelf met haar geruite schort voor en een vork in de hand, en het rumoer van de stad in de verte: de werkelijkheid rees rondom haar op, gigantisch geheimschrift van iets wat zich alleen zo en niet anders aan haar verkoos te openbaren.

Zolang hij op zijn stoel bleef zitten, achter de opengevouwen krant, kon zij zich nog beheersen. Dat zitten tegenover elkaar gaf tenminste een illusie van vertrouwelijkheid. Zij keek telkens naar hem, en wist dat hij merkte dat zij dit deed en dat het hem prikkelde. Zij waagde de vraag: 'Zit je met een moeilijke zaak, is er iets op kantoor?' om het antwoord te krijgen dat zij al verwachtte: 'Nee, niets.'

In de meubels, de muren, de dingen rondom, hoopte zich de spanning op. Plotseling stond Leonard op om de kamer uit te gaan. Dit was voor Sera het sein naar de deur te lopen en hem de weg te versperren. Het dwangmatige in hun beider handelen joeg haar angst aan – precies zo was het de vorige avond en ontelbare malen eerder gegaan – maar zij konden niet anders. Zij deed een stap vooruit, met uitgestrekte handen, maar Leonard ontweek haar en greep naar de deurknop. Dit gebaar, zowel vlucht als afwijzing van intimiteit, ontketende in Sera het gevreesde gevoel van razernij, waarin wanhoop, haat en verlangen onontwarbaar waren gemengd.

'Je gaat niet weg voor je me gezegd hebt wat er is!'

Hij duwde haar opzij en liep hard de kamer uit. Vóór zij hem had ingehaald hoorde zij hoe de sleutel in het slot van zijn eigen deur werd omgedraaid. Onbeweeglijk stond zij middenin de gang, met luisterend gebogen hoofd en hangende armen. Uit de woonkamer drong het tikken van de klok tot haar door. Aan haar rechterhand was de deur naar de zoldertrap. Daarboven geen geluid. Sliep Digna al? Een tram reed buiten over de brug. Zij hoorde ook de wind, die weer was opgestoken, in de bomen langs de gracht. Zij keek naar het patroon op de mat onder haar voeten. Zij hield zich voor dat het beter zou zijn rustig in de kamer te gaan zitten alsof er niets bijzonders aan de hand was. Zij moest zich beheersen, een boek nemen, wat werken. Zij zou tot bezinning komen, Leonard zou daarginds achter zijn gesloten deur zijn evenwicht hervinden. Wanneer zij hem straks weer zag, moest zij niets zeggen, niets vragen, maar kalm en onbevangen haar gang gaan. Nee, nee, duizendmaal nee, zei zij in zichzelf, dat kan ik niet. Er is zoveel dat gevraagd, uitgesproken moet worden tussen ons. Zij klemde haar handen in elkaar en staarde naar de deur van Leonards kamer. Daarachter was het volkomen stil. Zij hoorde geen papier ritselen, geen pen krassen.

Leonard luisterde zoals zij. Hij wist dat zij nog altijd in de gang stond. Hij begreep wel waarom. Zij overlegt wat zij doen zal, dacht hij. Laat zij in vredesnaam naar binnen gaan, naar bed gaan desnoods. Het geeft allemaal niets. Ik kan niet anders zijn dan ik ben.

Onbeschreven vellen papier lagen blank in het lamplicht. Hij zag de rijen boeken in de kast staan, de vertrouwde bruine, zwarte en groene ruggen. Het tijdschrift dat die ochtend gekomen was, lag nog opgevouwen in een manchet van papier op de hoek van de schrijftafel. Hij strekte zijn hand ernaar uit.

'Leonard!' Nu stond zij vlak achter de deur. Hij hoorde haar ademhaling. Zij klopte zachtjes ter hoogte van het sleutelgat.

'Leonard! Doe open! Alsjeblieft, doe even open. Eén ogenblik maar!'

Leonard sloot zijn ogen en perste zijn lippen op elkaar.

'Ik wil niet praten. Ik zal je niet van je werk afhouden. Maar laat het niet zo zijn tussen ons. Zeg dat het goed is. Alsjeblieft, kom even hier.'

Leonard hield zich onbeweeglijk, alsof hij op die manier zijn aanwezigheid in de kamer loochenen kon.

In de avonduren, achter het bureau in zijn werkkamer, kon hij zonder op zijn hoede te hoeven zijn de wereld aanzien, terugkijken op de gebeurtenissen van de afgelopen dag, zich voorbereiden op de volgende. Hij hield van de stilte tussen vier muren, van de kring helderwit lamplicht op het tafelblad, van boeken en paperassen rondom opgestapeld en gerangschikt. Zuigend op zijn pijp zat hij daar en hoorde het wekkerklokje op de kast tikken. De dingen in de kamer waren zijn bondgenoten, zijn vrienden, trouw en zwijgend hielden zij hem gezelschap, zij vielen hem niet aan, zij eisten niets van hem wat hij niet geven kon, zij schonken hem rust en veiligheid. Soms vond hij zichzelf in de stilte, in de diepten onder het dagelijkse geroezemoes, dan wist hij wat hij wilde zijn: een kern rechtvaardigheid.

Zolang Sera bleef buiten de grenzen van dit geordende heldere domein, was alles goed. Maar als zij inbreuk trachtte te maken op zijn zorgvuldig opgebouwde zekerheid, in zijn éénheid probeerde binnen te dringen, werd hij geprikkeld tot verzet, waarbij hem alle middelen tot zelfbehoud geoorloofd schenen. Dan had hij het gevoel dat hij geen gevaarlijker vijand bezat dan zijn vrouw. Zij verpersoonlijkte een kracht die hij in laatste instantie afwees, in háár openbaarde zich het destructieve, emotionele, onbeheerste, de chaos. Als zij bij zijn thuiskomst op hem toeliep, met heel haar wezen aandacht vragend, boordevol van haar eigen, hem vreemde leven, anders gestemd, anders ingesteld dan hij, deinsde hij onwillekeurig innerlijk voor haar terug, zoals een zwemmer aan het strand achteruitdeinst voor de aanzwellende branding. Het lokte hem en het stootte hem af. Zij was alles wat hij niet zijn kon, in een mate die een neutrale houding uitsloot. Evenzeer als hij vroeger, in zijn jongensjaren, een soort van houvast gevonden had in wat hij voor haar heldere, onverstoorbare levenslust hield, zozeer voelde hij zich sinds hun huwelijk soms bedreigd door iets wat de andere kant, de schaduwzijde van die energie en aanvaarding moest zijn. Na zijn terugkeer uit Portugal had hij zich herhaaldelijk afgevraagd of zij eigenlijk wel dezelfde was van wie hij afscheid genomen had. Zij kon niet anders zijn, en toch waren er ogenblikken dat hij haar niet herkende. In die eerste jaren na de bevrijding schreef hij de veranderingen, die hij meer voelde dan zag, toe aan zijn eigen afwezigheid, aan het feit dat ook hijzelf beïnvloed was door zijn gedwongen verblijf daarginds, aan de oorlog, aan het sterven van Sera's vader. Op den duur werd het hem duidelijk dat er sprake was van een dieper wezensverschil tussen hen, van spanningen die met de jaren eerder toenamen dan verminderden. Het gebied waar deze dingen zich afspeelden, was zijns inziens ontoegankelijk: woorden konden alleen vertroebelen en vervalsen, onherstelbare schade veroorzaken. Sera en hij hadden zich aan elkaar gebonden, door hun kinderen waren zij anders, méér, geworden dan alleen zichzelf. Aangezien ontbinding van die nieuwe staat van zijn onmogelijk was, moesten zij, vond hij, alles vermijden dat het samenzijn ondraaglijk zou kunnen maken. Wroeten in het onherstelbare, onveranderlijke was een zinloze kwelling. Hij vermoedde dat Sera in de mogelijkheid van een gezamenlijke metamorfose geloofde – een wedergeboorte juist als resultaat van opwoelen en blootleggen. Hij was daar niet zeker van, integendeel. Tegenover het uitgesprokene zou hij immers een standpunt moeten bepalen. Hij vreesde dat hij dan niet zou kunnen aanvaarden wat hij aanvaarden moest, of dat hij gedwongen zou zijn zich neer te leggen bij wat hem innerlijk in opstand bracht.

De stoffelijke resten die in de tuin van de villa te A. gevonden waren, begonnen in Leonards gedachten een steeds grotere rol te spelen. Zij werden voor hem tot het symbool van de oorlog, niet alleen van het verzet tegen de Duitsers, maar van een andere, dieper onder de oppervlakte gevoerde strijd. Hoewel hij doordrongen was van de onbewijsbaarheid van dit alles, zag hij de dode als het slachtoffer van misverstanden en onbegrip, angsten en verwarringen, die hij zelf van nabij had ervaren. Zíj was alles wat een geval als dat van Hölmann nooit kón zijn. Zij was de onwetend schuldige, gevaarlijk uit onvermogen tot uitersten te gaan, gevaarlijk door gebrek aan inzicht of door een al te persoonlijke reactie. Zij was tragisch, omdat zij louter en alleen door te zijn die zij was zichzelf had uitgeschakeld in een tijd die strategen en schaakmeesters eiste, geen zendelingen en padvinders. En als zij nu toch eens een vrouwelijke Hölmann was geweest, vroeg Leonards verstand soms, als zij verraad gepleegd had of plegen wilde, als haar dood te vergelijken was met het neerschieten van een dolle hond (het argument dat Valerius-Hazekamp destijds ten aanzien van de aanslag op Hölmann had gebruikt), wat dan? Maar hij wilde in dit geval niet redelijk zijn. Het dode meisje – naar schatting van de patholoog-anatoom niet ouder dan twintig, tweeëntwintig jaar toen zij werd begraven – bleef voor hem bij uitstek het voorbeeld van de vermeend onvermijdelijke, hartverscheurende executies binnen eigen kamp. Verhalen, na de oorlog door vroegere vrienden gedaan, hadden hem ervan overtuigd dat dergelijke dingen niet zo zeldzaam waren als hij wel zou willen.

In de kring van lamplicht, gebogen over het dossier van de clichéfabriek, zwierven zijn gedachten telkens naar het villadorp A. Lanen en tuinen en het landgoed waar de vondst gedaan was, schenen hem plotseling vertrouwd als had hij er zelf een deel van zijn leven doorgebracht. Beelden rezen voor hem op: een doorkijk tussen bomen op de bleke duinenrij in de verte, een weg met huizen aan weerszijden, diep in grote bladerloze tuinen.

Zó scherp omlijnd, zó tastbaar werkelijk was dat alles gedurende een ogenblik aanwezig, schoof het stil over de nabije dingen in zijn kamer heen, dat hij zich erover verwonderde. Het was alsof nog een andere generator dan zijn eigen geest die beelden voortbracht en in de ruimte projecteerde, alsof vlak bij hem, in zijn naaste omgeving, in zijn huis, het daar en toen van een langgeleden omgekomen mens in een vreemd dorp geruisloos en geheimzinnig ontstond uit het niets.

Sera zat op de bovenste trede van de trap, met haar mantel aan en een doek om haar hoofd. Zij was eerst van plan geweest nog een eind te gaan omlopen langs de gracht, maar had er toch niet toe kunnen besluiten. In de kleine voorkamer hoorde zij Digna zacht hoesten in haar slaap. Ik moet gaan kijken of zij onder de dekens ligt, dacht Sera, haar handpalmen gedrukt tegen de ribbelmat, zij woelt zich altijd bloot, het is daar koud met het raam op een kier. Maar zij kon zich niet bewegen, zich niet dwingen tot handelen. Zij klemde haar kaken op elkaar tot het pijn deed. Nu, dacht zij, nu sta ik op.

Zij kroop overeind en keek door de openstaande deur in de donkere kamer. Het kind hoestte weer. Sera liep op de tast in de richting van die kuch. Digna lag dwars in bed; lakens en dekens hingen op de grond. Sera schoof haar recht, tot haar hoofd op het kussen lag, en dekte haar toe. Terwijl zij over het kind gebogen stond, rook zij die weerloze geur van haren en huid, die aan de lucht van een jong pluizig dier deed denken. Digna mompelde iets en rolde zich in elkaar tot een bal, de knieën hoog opgetrokken, de handen gekruist ter hoogte van haar kin, in de embryohouding van het diepste slapen. Zij straalde warmte uit. Sera kuste de zachte bolronde wang die naar haar was toegekeerd. Alleen zo kon zij Digna benaderen, bij vol bewustzijn duldde het kind geen liefkozing.

Zij stak de avondlijke winkelstraat over, waar een walm hing van patat uit de automatiek, en hel licht uit de etalages straalde, die al tot de nok met kerstartikelen gevuld waren. Van verre zag zij tussen al dat schelle en bonte een raam als een tropisch aquarium: een onbepaalde groengouden glans waarin hier en daar iets opvonkte. Zij kwam dichterbij en keek naar binnen. In het schemerdonker achter de ruit waren als het ware zwevend in de ruimte drie manshoge blinkende speelautomaten opgesteld. Onder de glazen deksels glommen rode en groene lampjes in een labyrint van cirkels, cijfers, tunnels en gaten. De kasten zelf waren van spiegelend blank metaal, met panelen waarop bloemen, cowboys en revuegirls geschilderd stonden. Voorin de etalage lag een bord met opschrift: De nieuwste modellen, H. H. Cafébouders en particulieren, attentie!

Sera had deze showroom nog nooit gezien. Zij meende zich te herinneren dat er vroeger een sigarenwinkel in dit pand geweest was. Zij kende deze buurt goed, omdat zij als kind in een van de zijstraten had gewoond. In die winkels hier had zij boodschappen gedaan, naar haar moeder lopen zoeken. Terwijl zij naar de speelautomaten stond te kijken, viel haar besluiteloosheid van haar af.

Zij liep snel door straten waar zij zelden kwam. Het was stil in de koude avond. Tussen een rij huizen door zag zij water blinken in het schijnsel van lantaarns. Achter ongevoerde gordijnen van vaal rood en flets bruin schemerde lamplicht. Door een laag raam kon zij binnenkijken in een van de woningen. Helemaal achterin het huis stond in een kleine verlichte ruimte een vrouw haar voeten te wassen in de gootsteen. De huizen waren hier smal en grauw en vervallen, met scheefgesleten stoeptreden. Achter de beslagen ruiten van een hoekcafé bewogen schimmen. Over een schutting heen kon zij de zwarte hoge wal van pakhuizen onderscheiden. Zij bleef staan en trachtte op het bord tegen een muur de straatnaam te ontcijferen. Zij dacht ineens aan de forse vrouw met haar glansloze strakke ogen die haar 's middags een lijst had voorgelegd. Hier, in deze buurt, moesten de krotwoningen zijn, zonder waterleiding of wc, waar schimmel in dikke korsten over de muren kroop; hier waren de voormalige pakhuiszolders, nu door schotten van board en karton verdeeld in kamertjes waarin hele gezinnen huisden. Hier kon ook de kelder zijn waar de ratten kwamen knagen aan de voetjes van een slapend kind.

Sera duwde de deur open en liep de gang in.

'Wie is daar?' riep Frank van de derde verdieping. Zij keek omhoog door het trapgat. Zij kon daarboven zijn gezicht onderscheiden, een bleke vlek in het halfdonker.

'Ik ben het weer,' zei zij, terwijl zij de trap begon te beklimmen. 'Mag ik bovenkomen?'

Hij antwoordde niet, maar bleef staan wachten tot zij bij hem was. Nog altijd zonder een woord te zeggen, ging hij haar voor naar zijn kamer.

'Wat is er?' vroeg hij stug. Hij meed haar blik: met zijn rug naar haar toe ordende hij boeken en papieren op tafel.

'Het is niet voor mezelf. Wil je vijf minuten naar mij luisteren?'

'Ga je gang,' zei hij, zonder omkijken. Hij stond met gebogen rug, moe en neerslachtig. Een groezelige overhemdkraag stak boven de halsopening van zijn trui uit.

'Het gaat over Stans Deemster.'

Frank lachte kortaf. 'Ik wist niet dat jij Stans Deemster kende. Maar ja, wie kent haar niet? Wat is er met ons aller Stans?'

'Stans heeft een miskraam gehad. Onze huisarts is vanavond nog bij haar geweest. Zij moet naar het ziekenhuis voor curettage.'

'Zo, dat is beroerd voor haar,' zei Frank. 'Waarom moet ik dat weten?'

'Omdat zij zwanger was van jou.'

Hij draaide zich met een ruk om. 'Zegt zij dat?'

'Jij bent met haar samen geweest op de zolder van Fosfer, een maand of drie geleden.'

Frank verfrommelde een stuk papier dat hij in zijn hand hield en smeet het door de kamer. 'Inderdaad. Maar als je Stans Deemster kent... God mag weten met hoeveel kerels ze naar bed is gegaan vóór en na dat feest. So what?'

'Het moet van toen zijn. Zij weet het zeker. Zij heeft mij verteld waarom. Ik geloof ook dat het zo is.'

'Jij?' zei Frank, hard en honend. 'Ja, jij zal dat wel weten, zo langzamerhand. Jij hebt ervaring met dergelijke dingen.' Hij kwam vlak voor haar staan. 'Waarom bemoei jij je hiermee?'

'Stans heeft geen cent. Haar vader wil haar niet helpen. Zij durft niets aan Joris te vragen omdat zij al voor maanden voorschot op haar salaris heeft opgenomen. Ik dacht, omdat jij...'

'Godverdomme. God-verdomme,' herhaalde Frank langzaam. 'Dit is het toppunt. Dit is krankzinnig. Ik ben verantwoordelijk, volgens jou. Weet je wie er hier verantwoordelijk is? Nee, ga zitten, dat zal ik je eens uitleggen.' Hij duwde haar neer in een stoel, en hield over haar heen gebogen de leuningen vast, zodat zij niet kon opstaan. 'Ik kwam allang niet meer in de Tent, dat weet je. Ik was ook eigenlijk van het drinken af. Uitgerekend die ene nacht dat ik me weer eens te buiten ga, en na sluitingstijd terechtkom op de kamer van Fosfer, met Stans Deemster, nota bene...'

'Ik begrijp er geen woord van.'

'Wacht maar, ik zal je wegwijs maken. Weet je soms ook de datum van dat feest?'

'Stans Deemster zegt eind september.'

'Precies, zevenentwintig september, ik heb reden om me die dag te herinneren. Denk eens na. Op een mooie warme herfstmiddag sta ik op je stoep te bellen om je een boek terug te brengen dat ik van je geleend heb... O, ik zie aan je gezicht dat je nu weet welke dag ik bedoel. Die oude dienstbode van je schoonouders laat me heel vriendelijk binnen – bij jou krijg ik namelijk geen gehoor – en zegt: loop maar door, ze zijn thuis. Ik ga naar boven, verwachtend meneer en mevrouw op het platte dak in de zon te vinden...' Hard en honend parodieerde Frank de gebruikelijke vertellerstoon.

'Hou op.'

'Nee, ik hou niet op. Het is in dit verband van het grootste belang, dat zal je wel merken. Ik kom dus op jullie verdieping. Ik hoor niets, ik zie niets. Kinderen natuurlijk naar school. De voorkamer leeg, in de keuken geen mens, op het platte dak geen sterveling. Ik roep, ik fluit. Ons fluitsignaal uit de oorlog, je weet wel. Plotseling gefluister en gestommel in de slaapkamer...'

Sera boog haar hoofd, zij had wel onder de grond willen kruipen.

'De deur gaat open, vanaf de plaats waar ik sta zie ik Leonard naakt rechtop in bed zitten. Jullie moeten die spiegel ergens anders hangen. Daar kwam je, in je haastig omgeslagen ochtendjas...'

'O hou op, dit heeft geen enkele zin...'

'O jawel, juist wel. Wacht maar. Je zei dat Leonard niet thuis was en dat jij met hoofdpijn in bed gelegen had. Je flapte er het eerste uit wat je te binnen schoot. Eerlijk gezegd is dat ook pas later tot mij doorgedrongen. Ik was mezelf niet terwijl ik daar in die gang tegenover je stond. Misschien begrijp je sinds vanmiddag eindelijk waarom. Ik ben weggelopen, eerst de halve stad door, toen naar de Tent, en daar heb ik zitten drinken tot het me allemaal niet meer verdommen kon. Stans Deemster was daar, die had ook beroerdigheid, we hebben elkaar getroost...'

'Ik wist niet...' begon Sera, toonloos. Frank liet haar niet uitspreken. 'Dan weet je het nu. Je had je niet hoeven te vertonen. Je had je leugentje door de gesloten deur heen kunnen vertellen. Misschien had ik je dan nog graag en grif geloofd ook. Maar nee, jij hebt gedacht: het is Frank maar. Je slaat een kimono om en komt zo gedachteloos die gang in, alsof ik een eunuch was, erger nog, een idioot zonder voorstellingsvermogen, of een klomp steen zonder zintuigen. Tegenover je kinderen zou je beslist meer egards in acht genomen hebben. Het meest krasse staaltje van je wezenlijke onverschilligheid wat mij betreft. Nooit heb ik zo beseft dat je mij niet werkelijk zíét. En dat het jou in je leven aan verdomd essentiële dingen moet ontbreken, want anders zou je mij wel zien, domweg als een ander, met een hart en hersens en een lichaam... Misschien begrijp je nu het verband tussen jou en de misère van Stans Deemster. Natuurlijk ben jij niet verantwoordelijk, natuurlijk ben ik dat. Maar ik wil wel dat je dit weet, dat je het je eens heel goed realiseert... En ga nu weg, en kom voorlopig maar niet meer hier. Als ik iets voor Stans kan doen, als er geld nodig is, of wat dan ook, hoor ik het wel. Het is niet zo dat ik dat meisje laat stikken, het is een stakker. Ik hoop dat zij gauw beter wordt. Ga nu maar.' Hij liet de stoelleuningen los en deed een paar stappen achteruit.

'Ja,' zei Sera, maar zij verroerde zich niet.

'Zoals het nu is tussen ons, kan het niet verdergaan. Later misschien, nu niet.'

'Ja,' herhaalde zij moe.

'Wat ik in je haat, is de manier waarop jij je maar laat drijven. Ja, drijven. Ik ben ervan overtuigd dat je dat zelf wel weet, onbewust misschien, en dat is dan de reden waarom je in "De duiker" het voorzichtig tussen de gevaren door laveren uitbeeldt.' Hij haalde diep adem en vervolgde heftig: 'Jij zoekt naar eenheid omdat je zo half bent als de pest!'

Nog maakte zij geen aanstalten om op te staan. Zij was honderd jaar oud, haar lichaam deed pijn van kruin tot voetzolen, alle lust tot leven scheen eruit weggeblazen. Frank liet zich plotseling op zijn knieën vallen, met zijn hoofd tegen de leuning van haar stoel, zonder haar aan te raken.

'Waarom hou je van Leonard? Waarom in godsnaam van hém?'

De instuif bij Joris had zijn hoogtepunt al bereikt toen Sera binnenkwam. Zijn vrijgezellenhuis, een bovenverdieping met uitzicht op pakhuizen en werven, had in de loop van de jaren gaandeweg het uiterlijk gekregen van een reeks gelagkamers. De meubilering bestond uit zitplaatsen, tafels om glazen en flessen op te zetten, kasten met boeken. Doeken van abstracte schilders spatten van de muren, in nisjes en op consoles in alle hoeken prijkten de staketselachtige plastieken van Fosfer waaraan de gastheer zijn hart verpand had.

'Jongens, wat prachtig mooi, wat prachtig gek is het weer!' Joris kwam opgetogen, zij het al enigszins wankel ter been, aanlopen met in iedere hand een groot overvol glas whisky-soda. Een daarvan stak hij Sera toe. 'Goed idee van je, om toch nog te komen. Stel ik bijzonder op prijs, ik zweer het je, dat zo'n serieuze vrouw als jij niet van mijn fuif wegblijft, zeg nou zelf, met je gezin en zo.' Hij wuifde om zich heen, om bijvalsbetuigingen uit te lokken, maar zijn gasten waren overal in oorverdovende verwarde gesprekken gewikkeld.

'Dit vind ik nou leven, hè?' vervolgde Joris. 'Een drankje, een stel geschikte lui, een gezellig feest. Méér durf ik niet te verlangen. Als ik zo moest leven als jij dat symbolisch voorstelt in "De duiker", voortdurend waakzaam zijn, voortdurend worstelen om op de been te blijven en niet door de stroom meegesleurd te worden... meid, ik zou nooit meer een rustig ogenblik hebben.'

Sera dronk langzaam en aandachtig. Warmte stroomde opnieuw door haar aderen, zij wilde de stille koude nachtelijke straten waar zij na het gesprek met Frank had rondgedwaald vergeten, en verlost worden van de twijfel en het schuldgevoel die zijn woorden haar hadden aangedaan.

'Ik heb niets tegen jouw manier van leven,' zei zij traag. 'Ik wil jou geen andere manier opdringen. Maar ik bén geen serieuze vrouw, vanavond niet.'

'Nou, dan speel je het verrekt goed!' zei Joris' assistent, die vlak bij hen op de grond zat.

'Waar gaat het over?' vroeg zijn buurvrouw, een mollige blondine.

'Bij God, ik weet het niet.' Hij schudde zijn hoofd en keek naar Sera op. 'Iets over serieuze vrouwen. Serieuze vrouwen bestaan niet!' schreeuwde hij plotseling. 'Alle vrouwen zijn lichte vrouwen, ook de zwaargewichten!'

'Wees nou eerlijk.' Joris bleef aan Sera's rechteroor doorpraten (hij had ook de glazen bijgevuld). 'Mag ik niet gewoon lekker blij zijn? Om mijn zaak, die een heel fijne zaak is, hè, jongens, en om het succes van mijn auteurs? Mag ik nou niet verdomd gelukkig zijn, omdat Fosfer de Plume d'Or krijgt, want die krijgt hij...'

Sera legde haar hoofd tegen de leuning van de bank waarop zij zaten en sloot haar ogen. Zij zweefde in een gonzende nevel, in een zee van lawaai en waanzin. Zijzelf scheen op te lossen tot suizend schuim, maar ergens binnenin haar bleef nog een kleine kern helderheid, niet meer dan een stip.

Aan haar voeten trok Joris' assistent met een in bier gedoopte vinger cirkeltjes op de vlezige blote schouders van zijn vriendin, die zich dit kirrend liet welgevallen. Terwijl Sera op hen neerkeek, dacht zij aan Stans Deemster, een bleek gezicht op een kussen, een mager verfomfaaid hoofd, een schorre fluisterstem. Zo had zij haar een paar uur geleden gezien, toen zij met de dokter bij haar was geweest. Tranen van woede en schaamte sprongen haar in de ogen, zij klemde haar handen om haar glas. Joris, middenin een betoog dat zij niet gevolgd had, boog zich met opgestoken wijsvinger naar haar toe: 'Ik ben volkomen onafhankelijk. Ik geef uit wat ik goed vind, waar ik plezier in heb, waar ik iets in zie... Ik laat mij door niets en niemand beïnvloeden...'

'Ach, dat denk je,' zei Sera lusteloos. 'Je gehoorzaamt aan een dwang...'

Joris sloeg met beide handen op de kaalgeschaafde leren leuningen van zijn stoel. 'Wat voor een dwang! Noem namen, zeg wie of wat!'

'Dat kan ik niet, want dat weet ik zelf niet. Wist ik het maar. Word nou niet boos. Die dwang voel ikzelf ook...' Zij maakte vage gebaren, Joris knikte ernstig, met een rood hoofd, af en toe peinzend starend in zijn hooggeheven glas.

'Juist, juist. Je praat over dwang. Dwang waartoe? Waartoe word ik als uitgever gedwongen zonder dat ik het weet of wil? Dat moet je me nou eens vertellen, nee, zonder gekheid, daar ben ik verdomd benieuwd naar...'

'Tot het vorm geven aan een instelling die...'

'Ach engel, dat doen we allemaal, dat doet iedereen altijd en overal, vorm geven aan een instelling, wat wil je daar nu mee zeggen?'

'Wat een diepzinnige conversatie,' zei een stem achter hen. 'Het spijt me, Joris, ik kon niet eerder komen, ik had een vergadering. Ik merk dat ik met mijn neus in de boter val. Ga door, ga door, het is bijzonder interessant.'

Roduman boog zich glimlachend over hen heen. Hij was niet alleen. Hij hield zijn hand op de schouder van een man om wie een aura van vale deftigheid hing, een man in een bruingrijs pak van verouderde snit, met een parel in zijn dasspeld.

'Hazekamp, ouwe jongen, je bent een reuzevent dat je komt!' riep Joris. Sera herkende hem nu ook. Toen Leonard bij hem ging werken, jaren geleden, hadden zij eens samen een bezoek aan Hazekamp gebracht in zijn flat boven het kantoor, grote kamers gemeubileerd in een stijl die omstreeks 1920 gedurfd was geweest, strak en hoekig, maar ijl als uit een kinderblokkendoos opgebouwd. Sera had geen prettige herinnering behouden aan die ontmoeting: zij voelde toen, en ook de enkele malen dat zij hem later zag, dat Hazekamp haar niet mocht. Zij mocht hem ook niet, zij wist niet waarom. Misschien omdat hij in de oorlog Leonard behulpzaam was geweest bij die vlucht die nergens toe had geleid, misschien omdat – want dit merkte zij wel – Leonard nog steeds aan die man gebonden was.

'Leonard niet hier?' vroeg hij, terwijl hij haar met een kleine buiging de hand drukte (alsof hij het antwoord niet allang wist, dacht zij, venijnig helder in haar lichte roes). De naam Leonard werkte als een bezwering. Zij stond wat onzeker op.

'Ik moet naar huis.'

'Geen sprake van, je bent er pas!' schreeuwde Joris. 'Jongens, zeg tegen Sera dat zij niet weg mag gaan!'

'Het is kwart over twaalf, middenin de nacht.'

'Onzin, de dag begint pas!'

Tussen de bezoekers door kwam Fosfer naar haar toe, die zij nog niet eerder gezien had.

'Is Sera hier, laat mij even met haar praten, ik moet haar iets zeggen!'

'Geen geheimen!' riep Joris, terwijl hij met de ene hand Fosfer, met de andere Sera vasthield. 'Ik ben jullie geestelijke beschermheer, voor mij mogen jullie niets verbergen!'

'Man, het gaat niet over de prijs!' zei Fosfer met een grimas, 'die krijg ik toch niet, ik heb hem trouwens niet meer nodig!' Hij wendde zich weer tot Sera: 'Ik ga wat voor dat meisje doen, je weet wel. Ik koop een tweedehands scooter en ik neem haar mee naar Spanje, als ze wil, ik krijg immers een paar centen binnenkort, van die opdracht voor het Tour Hotel.'

'Ach,' zei Hazekamp. Hij zette zijn pince-nez op en boog zich luisterend naar Fosfer toe. 'Het doet me genoegen te horen dat een en ander in kannen en kruiken is. Mijn vrienden van het architectenbureau hebben zich kennelijk iets gelegen laten liggen aan mijn raad. U moet weten dat ik daar soms als adviseur optreed. Uw werk, dat ik hier bij mijn vriend Joris heb leren kennen, is me bijzonder dierbaar, mag ik wel zeggen. U bent een coming man, mijn waarde. Afgezien nog van uw merites als dichter, waar men hoog van opgeeft, maar waar ik helaas niet over kan oordelen omdat ik weinig lees, te weinig...'

Roduman duwde Hazekamp opzij.

'Wat is dat, daar weet ik nog niets van.'

'Man, een opdracht die ik blijkbaar aan meneer hier te danken heb, draadplastieken en mobiles voor dat nieuwe hotel, ik kan doen wat ik wil, ze nemen alles.'

Roduman en Hazekamp keken elkaar aan. Sera ving die blik op, wat zij zag of meende te zien benam haar de adem. De tijd stond stil, gedurende een seconde die een eeuwigheid scheen te duren, vormden zij een verstarde groep, als van figuren in een panopticum, met geheven glazen, een heilwens op de lippen, Joris niet-begrijpend in dronken verontrusting ('Geen ruzie, jongens!'), Fosfer onverschillig-vergenoegd, even nuchter of niet-nuchter als gewoonlijk, innerlijk geabsorbeerd in een wereld waarin de belangen der anderen geen enkele rol speelden, Hazekamp met koude, Roduman met smeulende blik, zijzelf op de grens van een ontdekking. Maar het beeld bewoog, zoals spiegelingen trillen zodra er een steen in het water valt. Zij hieven hun glazen en dronken.

'Brand!' schreeuwden tien stemmen tegelijk bij het raam. De laaghangende wolken werden verlicht door een flakkerende rossige gloed. Achter de huizenrij aan de overkant van het water sproeiden vonken de lucht in.

Ondanks de pogingen van de politie om de gracht vrij te houden, bleven de mensen mompelend samendrommen langs de kant, op de stoepen en de brug. In alle raamopeningen schemerden gezichten. Van het woonschip was niets overgebleven dan een zwart karkas. Men had het vuur bijtijds kunnen doven, voor het naar de andere schuiten oversloeg, die hier in een lange rij gemeerd lagen, drijvende krotten. De bewoners die voor de brand gevlucht waren, hadden huisraad en beddengoed op straat neergegooid. Juist was er een ziekenauto weggereden met de in dekens gewikkelde verkoolde resten van drie kleine kinderen. De ouders, die, naar gezegd werd, ergens in de stad in een café zaten, waren nog niet gevonden. Een politiebeambte was bezig inlichtingen in te winnen bij een overbuurvrouw van de slachtoffers, die onder kreten van 'Juffrouw Ramper! Rie! Rie Ramper!' uit haar huis was gehaald'. Tegenstribbelend, schor huilend, met een gezwollen gezicht onder verwarde haren, een mantel over haar nachtgoed, was zij tenslotte naar buiten gekomen, half geduwd, half gesteund door de omstanders. Rondom haar en de ondervrager had zich een dichte kring gevormd.

Sera wendde zich af. Zij was met Joris en zijn gasten meegelopen in de richting van de vlammen en het geschreeuw. In de menigte was zij de anderen kwijtgeraakt. Zij had ook geen lust hen te zoeken, zij was hevig geschrokken, verkleumd tot in haar merg, ontnuchterd, en duizelig van vermoeidheid. Zij drong tussen de mensen door, bezield van slechts één verlangen: om zo vlug mogelijk naar huis te gaan.

'Mag ik u misschien meenemen in mijn wagen?' vroeg Hazekamp plotseling naast haar. Zij mompelde een antwoord en volgde hem naar de plaats waar zijn auto, een oude Austin, geparkeerd stond.

'Wat een afgrijselijke geschiedenis,' zei hij terwijl hij de koude motor tot aanslaan trachtte te bewegen. 'Er schijnt een petroleumkachel omgevallen te zijn. Binnen een paar minuten stond alles in lichterlaaie. Die kindertjes zijn in hun bed verbrand. Hebt u zo'n woonschuit wel eens vanbinnen gezien? Hele gezinnen in een of twee kleine hokjes, alles van hout en board en ondeugdelijk materiaal, de was hangt er te drogen boven de kachel, verbod of geen verbod, het is niet te geloven. Maar wat moeten die mensen anders? Geef ze huizen tegen normale huurprijzen, geef ze gelegenheid te leven. Dankzij die arme kleintjes zal het probleem nu wel weer op de voorpagina's komen...'

'Die ouders hadden hun kinderen alleen thuisgelaten,' zei Sera, voor zich uit starend in de verlaten straten waar zij nu doorheen reden.

'Ik praat het niet goed. Dat was stom, onverantwoordelijk, misdadig zelfs, toegegeven. Maar hoe leeft zo'n man, zo'n vrouw? Hij de hele dag uit werken, zij tegen de bierkaai vechtend in haar drijvend krot. Wat is daar 's avonds aan huiselijkheid en ontspanning mogelijk? Die mensen lopen de deur uit. Moet zij haar man soms alleen naar de kroeg laten gaan? U hebt geen begrip van wat er voor misère kan zijn in zo'n huwelijk, zo'n gezin, als gevolg van gebrek aan gewoon maar wat ruimte. Enfin, het is gebeurd. Niets meer aan te doen. Naar de bodem van de gracht ermee. Zinken maar, zoals alles op den duur zinkt.'

Hij drukte driftig het gaspedaal in. Over het natte asfalt zag Sera de lichtvlekken van de lantaarns voorbij zoeven. Zij antwoordde niet. Zij werd zich er plotseling van bewust dat zij misschien zou kunnen begrijpen waarom Leonard ondanks teleurstellingen en meningsverschillen de band met Hazekamp niet verbreken wilde.

'Zo gaat dat nu eenmaal,' vervolgde Hazekamp naast haar. 'Op de bodem van de tijd liggen als gezonken schepen talrijke culturen bij wie zich nu ook weldra de westerse cultuur zal voegen.'

Zijn woorden vielen in haar bewustzijn als een handvol kiezels in de diepten van onderaardse grotten, de steentjes ketsen en stuiten en springen weg in de verste hoeken, wekken echo's, een ritselen en fluisteren dat lang blijft hangen.

'Diepwater,' zei Sera hardop.

'Dat is langgeleden,' antwoordde hij na een stilte, op een heel andere toon.

'Ik heb u nooit ontmoet toen, in A.'

'Ik jou ook niet, maar ik wist wel wie je was.'

'Mastland kende u.'

'En ik kende hém.'

Het drong tot haar door dat zij niet meer reden. De auto stond stil voor de bekende stoep. Onwillekeurig stak zij haar hand uit naar de knop van het portier. De gedachte aan thuis zijn, Leonard, bracht een vloed van andere associaties. Dingen die zij uit Leonards mond gehoord en in de krant gelezen had naar aanleiding van de vondst te A., feiten die zij voor kennisgeving aangenomen en naast zich neergelegd had – alsof haar geest uit zelfbehoud geweigerd had ze te verwerken, dacht zij nu vol ontzetting – rezen voor haar op in een nieuwe volgorde, een andere betekenis. Zij klemde haar handen zo stijf samen dat haar nagels in haar vlees drongen.

'Doortje. Het is Doortje.'

Hazekamp zette de motor af. Het was doodstil. De boomtakken bewogen in de wind vóór de lichtkring van een lantaarn en wierpen zwaaiende schaduwen over de voorruit. Hij legde zijn gehandschoende vingers licht op de hare. 'Wat denk je nu?'

Zij schudde haar hoofd, zonder zich erover te verbazen dat zij niet méér woorden nodig hadden.

'Het meisje was overspannen, heeft zich van kant gemaakt. Een moeilijk parket voor... mijn cliënte in A., die haar op mijn verzoek in huis genomen had toen zij van haar onderduikadres was weggelopen...'

'Waarom... wanneer?' fluisterde Sera, overbodige vragen.

Hij drukte haar vingers en trok zijn hand terug.

'Ach, kan jij dat niet raden?'

Sera had het ijzig koud, zij moest haar tanden op elkaar

klemmen om het beven te bedwingen dat haar van het hoofd tot de voeten bevangen had. 'Ga naar binnen, naar bed, kind,' zei Hazekamp, nog steeds op die vermoeid-beschermende toon die zij niet van hem kende. 'Denk er niet meer aan. Vergeet het. Alles gaat over.'

Voor de eerste maal sinds zij van het trottoir voor Joris' huis waren weggereden, keek zij hem aan. In het spel van licht en schaduw, de vergrote projecties van oneffenheden en waterspatten op de voorruit, leek zijn gezicht verkreukeld en gevlekt, een lepreus masker.

'Goedenacht,' zei hij, plotseling weer vormelijk. 'En de groeten aan uw man.'

Hij bleef nog even onbeweeglijk zitten nadat de voordeur achter haar in het slot gevallen was. Schuld. Een probleem voor wie het besef van de volstrekte eigen zeggenschap niet kent, voor wie uit zelfbehoud 'goed' wil zijn. Achter ethiek en moraal schuilt vaak angst voor ongeweten schuld. Bewust schuldig worden, en met die schuld durven leven... aha, dat is een andere zaak. Hij stak zijn hand uit naar het contactsleuteltje, raakte het aan, maar zonder het om te draaien. Zij voelt zich schuldig, dat is duidelijk, zij heeft zich door mij schuld laten suggereren. In dit ene geval zonder grond, wie kan het beter weten dan ik. Of toch? Zij aanvaardde onmiddellijk mijn verklaring, die niet de hele waarheid is, zij vond die aannemelijk omdat zij een verband zag tussen wat ik haar vertelde en haar eigen heimelijke schuldgevoel. Ongevraagd heeft zij een last van mij overgenomen, die *míj* niet bezwaarde. Ik hoef geen medelijden met haar te hebben, zij maakt er wel wat van, zij is poëet. Wij zijn vijanden bij instinct, zij en ik, omdat wij tot twee radicaal verschillende soorten van het genus mens behoren. Mijn soort kan alleen bestaan wanneer de strijd, het lijf-om-lijfgevecht op leven en dood, jij of ik, erop of eronder, mogelijk is. Niet met open vizier, ik moet het hebben van mimicry. De dubbelzinnigheid is mijn element.

In haar droom was Amsterdam sinds lang door mensen verlaten. Als het woei stegen er wolken van as en gruis op uit de stad. Tussen de ingestorte bruggen lagen de grachten vol puin, achter skeletten van huizen waren resten van tuinen zichtbaar, zwartgeblakerde bomen, losse planken van schuttingen schots en scheef. De torens stonden er nog, als flessen met versplinterde halzen. Waar de Dam geweest was, gaapte een krater vol loodgrijze brokken steen waarin bij hoog tij het water van IJ en Amstel binnen sijpelde. Van de muren die nog overeind gebleven waren, was geen steen ongeschonden. Sinds lang verroeste of verkoolde draden en stangen, ontwortelde palen, kromgetrokken, uit de grond losgerukte rails bewogen of trilden zachtjes mee als er een windvlaag opstak. De buitenwijken waren wildernissen geworden, vanuit de parken woekerde het groen voort tussen de ruïnes. De nieuwbouwbuurten vormden onafzienbare puinwoestijnen, die overgingen in de in steppen veranderde weilanden. De dode stad stond onder zon en maan zonder geluid, zonder een teken van leven.

Leonards hand tastte over de deken naar de hare.

'Wat is er?' vroeg hij.

'Ik droomde akelig.'

Zij vlochten hun vingers in elkaar. Zo bleven zij een tijd in het donker liggen. Zij draaide haar hoofd naar hem toe, zij voelde de vage warmte van zijn adem. Hij is terug, dacht zij, hij is weer bij mij. Zij schoof wat naar hem toe en legde haar hoofd op zijn schouder in de kom tussen zijn arm en het scherpe sleutelbeen. Zij voelde de kleine bewegingen van zijn bovenlichaam terwijl hij sprak.

'Waar ben je zo laat nog naartoe geweest? Loop toch niet weg. Je weet toch dat het goed is tussen ons, daar hoeven wij toch niet over te praten.'

Zij sloeg haar armen om zijn hals en kuste hem in zijn warme magere nek onder zijn oor. Zij hield hem vast, hij haar, zij waren samen, voor hoe lang? Zij schenen te balanceren, ieder aan de rand van een eigen steil continent, door zeeën en afgronden van elkaar gescheiden. Maar er was een onderaardse werking, een zuiging, de oude formaties van twee-zijn en eenzaamheid begonnen te wankelen, alles kwam in beweging, lagen schoven dooreen, de elementen vermengden zich, licht en duisternis keerden terug tot hun oergrond.

Later lag zij stil op haar rug, haar handen gevouwen op haar buik. Zij hield haar ogen gesloten en ademde kalm en regelmatig. Eerst dacht zij nog zonder samenhang aan de dingen die er in de afgelopen dag waren gebeurd, flarden van gesprekken schoten haar te binnen, zij zag met de ogen van haar herinnering gezichten, kleuren, vormen. Maar dit alles was slechts voorspel; het beeld van de werkelijkheid gleed weg als de schaduw van een wolk, nu zonk zij al dieper weg. Soms werd zij zich met een lichte schok, als bij struikeling, nog even bewust van tijd en plaats, maar in dat herkennen school toch tevens diep welbehagen om dit zwevende rusten zonder gevoel van eigen lichaam, zonder bezwaard te zijn door het 'ik' van het dagelijkse leven in de realiteit. Ik slaap al bijna, dacht zij, en zij wilde met een glimlach en een zucht zichzelf geheel loslaten; maar tegelijkertijd drong het tot haar door dat zij meer dan ooit bij dag wakende was, dat zij vertoefde in een overgangsgebied. Zij zweefde aan de grens van een openbaring, alsof zij zich bevond in de buitenste laag van een mistbank, daar waar het zonlicht al schittert door de dunne nevel heen. Er sprong ergens iets open, er brak iets, zij had het gevoel pijlsnel te vallen, dwars door tijd en ruimte, zij schoot door al het bestaande heen, zag en wist alle dingen, het tastbare en het ongrijpbare, het vroegere en latere, denkbeelden en hun ontkenningen, en dat alles samengevoegd tot een onmetelijk vergroot sneeuwkristal, een figuur waarvan elk onderdeel in voortdurende beweging was – die zelf als geheel onophoudelijk van vorm veranderde, maar altijd volmaakt en gaaf bleef. Zij was een levend partikel van dit geheel, zich bewust van haar individualiteit, maar tegelijkertijd door een oneindig groot aantal ragfijne draden verbonden met al het andere. Zij kende nu uit eigen ervaring, uit deelname, die inwendige structuur, dat harmonische, dansachtige, onderling eeuwig gevarieerde van plaats verwisselen der samenstellende elementen, en dit besef vervulde haar met een onbeschrijfelijk geluksgevoel.

Zij werd wakker en ging rechtop zitten. Zij betastte haar gezicht en de deken. Een vroege tram gierde over de brug, naast haar ademde Leonard rustig en diep in zijn slaap, achter de gordijnen zag zij het schijnsel van de lantaarn voor het huis bewegen, het woei weer.

De vuilnisman komt vroeg vandaag, ik heb vergeten de bak naar beneden te brengen, dacht zij hardop. Zij liet zich voorzichtig uit het bed glijden, trok de ochtendjas aan die over het voeteneinde hing en zocht met haar voeten naar haar pantoffels. De planken kraakten toen zij over het portaal sloop. Met de zware emmer steunend tegen haar heup daalde zij de trappen af. Er scheen licht onder de deur van haar schoonvaders studeerkamer. In het souterrain viel zij bijna over de andere vuilnisemmer, die Koba al had klaargezet. Bij het schijnsel van de nachtlamp in de gang zag zij dat het deksel niet sloot. Zij herkende de groenig beschimmelde stukken papier-maché die onder het deksel uitpuilden. In een behoefte aan ordening bracht zij handenvol klonters over naar haar eigen bak. Toen zij onder de muffe resten van de koffer de brokstukken van de meermin tevoorschijn zag komen, hield zij op. Zij had de hele dag niet meer aan het verbrijzelde gevelbeeld gedacht. Er lag een klein fragment van de kinkhoorn, met een gedeelte van de hand die hem omhooggehouden had. Zij nam dat stuk steen uit de vuilnisemmer en stak het in haar zak.

In de bovengang kwam zij haar schoonvader tegen, die juist de kamerdeur achter zich sloot. Zij merkte dat hij schrok van haar plotseling verschijnen, maar zich inspande om dat niet te laten merken.

'Ik heb onze bak naar beneden gebracht. U bent vroeg op, papa.'

'Ik kon niet meer slapen,' zei hij bits. Het ergerde hem betrapt te worden in zijn nachtkleren, ongeschoren, met zijn magere bleke voeten bloot in sloffen. Zij vond hem onthutsend oud en klein. Het witte dunne haar stond naar alle kanten uit, alsof hij er met de handen in gewoeld had. Zijn nek met de vooruitstekende adamsappel lag naakt en gerimpeld open tussen de foulard die hij omgeslagen had.

'U vat kou, papa.' Zij sloeg de zijden slippen van de sjaal over elkaar en stopte die in de halsopening van zijn kamerjas.

'Ja, ja, merci. Ga jij maar gauw weer naar boven.'

'U blijft toch niet rondlopen? Het is pas zes uur.'

'Liggen zonder te slapen kan ik niet.'

Zij had al één voet op de onderste trede van de trap toen haar iets te binnen schoot.

'Papa... kent u iemand die Deemster heet?'

Doornstam sloot even zijn ogen, en kneep zijn lippen samen alsof hij iets bitters proefde. Daarna schudde hij langzaam het hoofd.

'Nee,' zei hij met vermoeide stem. 'Nee, die ken ik niet.'

Zij merkte dat hij bleef staan terwijl zij naar boven ging. Zij meende dat hij wachtte, uit een soort van ouderwetse hoffelijkheid, om niet vlak achter haar aan te hoeven lopen.

Zij dacht aan Stans Deemster. Ik moet iets voor haar doen. Zij kan niet in dat hok blijven. Als zij uit het ziekenhuis komt, heeft zij een andere kamer nodig. Ik zal aan papa en mama vragen, straks, of zij de lege kamer in het souterrain voor een tijd willen afstaan. Voorlopig, tot zij iets beters vindt. Ja, waarom zou Stans Deemster niet hier komen, bij ons?

Zij kroop weer in bed, en draaide zich op haar zij, in de warmte van Leonards rug.

Het oeuvre van Hella S. Haasse

Constantijn Huygensprijs 1981
P. C. Hooftprijs 1984
Annie Romeinprijs 1995
Prijs der Nederlandse Letteren 2004

Oeroeg (roman, 1948)
Het woud der verwachting (roman, 1949)
De verborgen bron (roman, 1950)
De scharlaken stad (roman, 1952)
De ingewijden (roman, 1957) Internationale Atlantische Prijs
Cider voor arme mensen (roman, 1960)
De meermin (roman, 1962)
Een nieuwer testament (roman, 1966)
De tuinen van Bomarzo (essay, 1968)
Huurders en onderhuurders (roman, 1971)
De Meester van de Neerdaling (roman, 1973)
Een gevaarlijke verhouding of Daal-en-Bergse brieven (roman, 1976)
Mevrouw Bentinck. Onverenigbaarheid van karakter & De groten der aarde (geschiedverhaal, 1978, 1996)
Samen met Arie-Jan Gelderblom *Het licht der schitterige dagen. Het leven van P. C. Hooft* (1981)
De wegen der verbeelding (roman, 1983)
Berichten van het Blauwe Huis (roman, 1986)
Schaduwbeeld of *Het geheim van Appeltern. Kroniek van een leven* (biografische roman, 1989)
Heren van de thee (roman, 1992) CPNB Publieksprijs voor het Nederlandse boek 1993
Transit (novelle, 1994)
Uitgesproken, opgeschreven. Essays over achttiende-eeuwse vrouwen, een bosgezicht, verlichte geesten, vorstenlot, satire, de pers en Vestdijks avondrood (1996)
Zwanen schieten (autobiofictie, 1997)
Lezen achter de letters (essays, 2000)
Fenrir (roman, 2000)
Sleuteloog (roman, 2002) NS Publieksprijs 2003, Dirk Martensprijs 2003
Het dieptelood van de herinnering (autobiografische teksten, 1954/1993, 2003)
Oeroeg – een begin (facsimile-editie ter gelegenheid van de Prijs der Nederlandse Letteren, 2004)

Het tuinhuis (verhalen, 2006)
Sterrenjacht (feuilleton, 2007)
Toen ik schoolging (novelle, 2007)
De tuinen van Bomarzo (essay, 2007)
De ingewijden (roman, 2007)
Uitzicht (essays, portretten en beschouwingen, 2008)
Het woud der verwachting (met illustraties, 2008)

Over Hella S. Haasse

Lisa Kuitert & Mirjam Rotenstreich (red.), *Een doolhof van relaties* (Oerboek, 2002)

Retour Grenoble. Anthony Mertens in gesprek met Hella S. Haasse (2003)

Arnold Heumakers e.a. (red.), *Een nieuwer firmament. Hella S. Haasse in tekst en context* (essays, 2006)

Op de site www.hellahaasse.nl is te vinden welke titels reeds als luxe-editie zijn verschenen in het Verzameld werk.